TOEFL ITP® テスト
TOEFL ITP® Official Guide 公式テスト問題&学習ガイド

本物の過去問題を一回分収録

田地野彰[編著]
金丸敏幸・Educational Testing Service(ETS)[著]
国際教育交換協議会(CIEE)日本代表部[監修]

研究社

Notes to the User

The TOEFL ITP® practice materials used in this book were taken from actual test forms given to examinees at worldwide test administrations.

Some reading materials have been adapted from previously published articles or books. To make these materials suitable for testing purposes, the length and wording may have been changed.

The ideas expressed in the reading and listening materials contained in the Practice Tests do not necessarily represent the opinions of the TOEFL Board or Educational Testing Service (ETS®).

The TOEFL Program does not operate, endorse, or recommend any schools or study materials that claim to prepare people for the test in a short time or promise high scores. Any use of material in this Test Preparation Kit by a school or study program does not mean that it has been endorsed by ETS or the TOEFL Program.

No part of the TOEFL ITP® Official Guide may be reproduced or transmitted in any form or by any means, electronic or mechanical, including photocopy, recording, or any information storage and retrieval system, without permission in writing from Educational Testing Service. *Educational Testing Service reserves the right to prosecute violators in accordance to international treaties and the trademark and copyright laws of the United States and other countries.*

Direct permission requests to: ***www.ets.org/legal.***

Copyright © 2012 by Educational Testing Service. All rights reserved. ETS, the ETS logo, LISTENING. LEARNING. LEADING., TOEFL®, TOEFL iBT® and TOEFL ITP® are registered trademarks of Educational Testing Service (ETS) in the United States and other countries.

はじめに

本書の目的と特徴

　本書は、TOEFL® (Test of English as a Foreign Language) を開発している米国の Educational Testing Service (ETS) の協力のもと、本物の TOEFL ITP® (Institutional Testing Program: 団体向けテストプログラム) テスト問題を使用し、これから同テストを受験しようとする高校生や大学生、社会人のみなさんに、同テストの内容と、受験に向けた学習法を紹介することを目的として執筆しました。

　本書の執筆者である金丸と田地野は、京都大学にて全学共通科目英語のテストテイキングコースを担当し、大学の授業のなかで TOEFL® を扱っています。また、執筆協力者の多くは、同コースでのティーチングアシスタント (TA) の経験や奈良女子大学国際交流センターが主催する夏季英語講座 (TOEFL® 講座) での指導経験があります。本書で紹介する内容は、そうした授業実践や外国語教育研究の成果にもとづいています。

　本書のおもな特徴は、以下のとおりです。
- 本物のテスト問題 (TOEFL ITP® テスト問題と音声 CD) を使用
- 理論と実践にもとづいた英語学習法を紹介
- 問題のタイプに合わせた分かりやすい解説

　読者のみなさんの TOEFL ITP® テストの得点の向上、および英語運用能力の育成に、本書がいささかでもお役に立つものとなれば、幸いです。

謝　辞

　本書を執筆するにあたっては、多くの方々にお世話になりました。
　まず、日本国内で TOEFL ITP® テストを運営する国際教育交換協議会

(CIEE) 日本代表部 (代表: 大竹和孝氏) TOEFL 事業部の根本斉氏と西日本オフィスの星川朗氏には、本書の企画ならびに米国 ETS との交渉面で多大なるご尽力を賜りました。

また、株式会社研究社の小酒井雄介氏、津田正氏、星野龍氏、宮内繭子氏には、本書の出版・編集面でお世話になりました。とりわけ編集担当の津田氏と宮内氏からは、英語学習者・読者の視点から貴重なアドバイスを頂戴しました。

最後に、筆者が所属する京都大学の同僚諸氏や学生諸君からも有益なコメントをいただきました。ここに記して謝意を表します。

平成 24 年 1 月

編著者　田地野　彰

執筆協力者

細越響子	桂山康司
渡　寛法	髙橋　幸
栗原典子	高橋豊子
川西　慧	田地野靖子
日髙佑郁	クレイグ・スミス
加藤由崇	ラリー・ウォーカー
マスワナ紗矢子	デビッド・ダルスキー
若林玲奈	ティム・スチュワート
雪丸尚美	フランチェスコ・ボルスタッド

本書の読者への序文

Dear Reader,

The TOEFL ITP® Official Guide is the first authentic guide to the TOEFL ITP® tests.

TOEFL ITP® Assessment Series — the world's leading on-site English-language testing program is based on the rich heritage of the TOEFL® test with using previously administered TOEFL® test questions, allowing you to measure and evaluate your English-language skills with confidence.

This guide is made to be the most reliable source for everything you need to know about the TOEFL ITP® tests. Knowing your English skill level better today gives you the best chance for success tomorrow!

ETS TOEFL ITP® Team

Listening. Learning. Leading.®

目　次

はじめに ─────────── iii
本書の読者への序文 ────── v
本書の構成 ────────── ix

Part 1　TOEFL ITP® テストと本書の活用法について　001

1. いま、なぜ本書か？ ─────────────── 002
1 いま、なぜ TOEFL® テストか？ ─────────── 002
　■ TOEFL® テストとは？ ───────────── 002
　■ TOEFL® テストが対象とする英語とは？（学術目的の英語：EAP）
　　 ─────────────────────── 003
　■ TOEFL ITP® テストとは？ ──────────── 004
　■ TOEFL ITP の利用状況と利用目的 ───────── 007
2 本書の特徴 ─────────────────── 008
　■ 本物の TOEFL ITP の問題を使った学習ガイド ───── 008
　■ 理論と実践にもとづく学習法の紹介 ───────── 009

2. TOEFL ITP の構成と各セクションの特徴 ──────── 009
1 問題構成とスコアについて ──────────── 009
2 指示文について ──────────────── 011
　受験の際の留意点 ────────────── 029

Part 2　スコア UP に向けた学習法　031

1. TOEFL ITP に必要な語彙と文法知識 ─────── 032
1 語彙知識を深める ────────────── 032
　■ 語彙知識とは？ ───────────── 032

■語彙知識とリーディング -- 033
　　■受容語彙知識と発表語彙知識 ----------------------------------- 034
　② 文法知識について --- 035
　　■「すばやく」理解するための文法知識——リスニングのポイント
　　　　-- 035
　　■「正確に」理解するための文法知識——リーディングのポイント
　　　　-- 037
　　 コラム：直読直解のための「意味順」のすすめ ---------------------- 039

2. 英語の技能別学習法 -- 042
　① 受容技能（リスニングとリーディング）の育成に向けて ---------- 042
　② リスニング -- 042
　　■なぜリスニングは難しいのか ------------------------------------ 042
　　■リスニング力を伸ばす方法とは --------------------------------- 042
　③ リーディング --- 044
　　■なぜリーディングは難しいのか --------------------------------- 044
　　■リーディング力を伸ばす方法とは ------------------------------ 045

3. 各セクションの問題例と解説 ------------------------------------ 047
　① Section 1: Listening Comprehension（リスニング問題）--------- 047
　　■ Part A -- 048
　　■ Part A 　解法・解説 --- 049
　　■ Part B -- 052
　　■ Part B 　解法・解説 --- 053
　　■ Part C -- 057
　　■ Part C 　解法・解説 --- 058
　　 学習アドバイス -- 063
　② Section 2: Structure and Written Expression（文法問題）-------- 063
　　■ Structure -- 064
　　■ Written Expression --- 066
　　 学習アドバイス -- 068
　③ Section 3: Reading Comprehension（リーディング問題）-------- 069

- Section 3　解法・解説 -- 073
- 学習アドバイス -- 080
- Readingの問題タイプ --- 081

Part 3　「本物のテスト」問題にチャレンジ　―練習と解法―　083

1. TOEFL ITP® テスト――実際のテスト問題例 ---------------- 084

2. 各問題の分析と解説 --- 119
① Real Test 解答一覧 -- 119
- Section 1　Listening Comprehension ------------------------------ 119
- Section 2　Structure and Written Expression --------------------- 119
- Section 3　Reading Comprehension ------------------------------- 120

② Listening Comprehension --- 120
- Part A --- 120
- Part B --- 143
- Part C --- 152

③ Structure and Written Expression ----------------------------------- 164
- Structure -- 164
- Written Expression -- 172

④ Reading Comprehension -- 185

アンサーシート --------------- 218
主要参考文献・参考資料 ----- 221
編著者・監修者紹介 --------- 223

本書の構成

本書は大きく分けて 3 つのパートから構成されています。

まず、Part 1 では、TOEFL® および TOEFL ITP® テストについて説明します。その後、実際の各セクションの指示文（direction）についてみていきます。

次に、Part 2 では、いわゆる受容技能（リスニングとリーディング）の育成に向けた効果的な学習法を紹介するとともに、過去に出題された問題（Practice Test）を用いて、問題タイプ別に詳しく解説を行っていきます。

最後の Part 3 では、みなさんに本物の TOEFL ITP® テストにチャレンジしていただきます。実際の問題を解くことで、自分の苦手な分野の分析や対策に役立ててください。

なお、付属 CD には、リスニングセクションの音声が収録されています。また、音声収録箇所には (Track No. - -) でトラック番号を示しています。

Part 1

TOEFL ITP® テストと本書の活用法について

Part 1

TOEFL ITP® テストと本書の活用法について

1. いま、なぜ本書か？

1 いま、なぜ TOEFL® テストか？

■ TOEFL® テストとは？

　TOEFL® テスト（Test of English as a Foreign Language）は、1964 年に英語を母語としない人々の英語運用能力を測るテストとして、米国の非営利教育団体である Educational Testing Service（ETS）により開発されました。もともと TOEFL® テストは、米国の高等教育機関（大学・大学院）で学ぶことを希望する、英語が母語ではない受験者の英語力を測定するためにつくられたテストです。現在では、米国のみならず、英国やオーストラリア、ニュージーランド、カナダといった英語圏の大学をはじめとして、世界中の多くの教育機関（130 ヵ国 8,000 ヵ所以上）において、大学生活に必要な英語力を測定・評価するための指標として使われています。

　TOEFL® テストには、TOEFL® PBT（Paper-based Test: ペーパー版 TOEFL® テスト）と TOEFL iBT®（Internet-based Test: インターネット版 TOEFL® テスト）があり、日本では TOEFL iBT® のみが実施されています。同テストを実施するセンターは、世界で 165 ヵ国（約 4,500 ヵ所）にあり、日本国内にも約 100 ヵ所あります。

1. いま、なぜ本書か？

　TOEFL® テストが問う内容は、基本的には大学や大学院での教養科目や専門科目を英語で学ぶために必要な技能が中心となっています。この英語技能は、旅行先で会話をしたり、友人にメールを書いたりするなどの日常生活で使う英語技能とは異なるものです。こうした大学生活で求められる英語を、「学術目的の英語（EAP: English for Academic Purposes）」と呼ぶことがあります。これについては、後ほど詳しく説明します。

　TOEFL® テストで問われる英語力は、大学生活に特化した、限られたものではなく、社会生活のさまざまな場面、たとえば会議での議論や報告の仕方、レポートの作成などにも通じるものです。ひと言で言えば、TOEFL® テストは、これからの国際社会で活躍するために必要な英語技能を測定するためのものなのです。

■ TOEFL® テストが対象とする英語とは？（学術目的の英語：EAP）

　ひと口に英語と言っても、場面や状況によって使用される表現や言い回しは異なります。たとえば、親しい友人との会話と、大学のゼミでの教授との研究に関する議論では使用する語彙も、話し方も大きく異なるでしょう。ここで重要となるキーワードは「ディスコース・コミュニティ（discourse community）」です。ある特定の専門家の集団においては、そこに所属する人たちに共通のルールがあり、話し方や書き方はそのルールに従って変更されます。相手と場面に合わせて、話し方や文書の書き方のスタイルも変わるということです。ここで、共通のルールをもった特定の集団を「ディスコース・コミュニティ」と呼びます。

　本書の読者の多くは、おそらくこれまでに日本の中学や高校で、旅行や買い物、ニュースなどといった特定の対象というものを念頭には置いていない一般的な英語、いわゆる「一般目的の英語（EGP: English for General Purposes）」と呼ばれる英語を学習してきたと思います。TOEFL® テストが対象とするのは、こうした一般目的の英語にくわえて、英語圏での大学生活に必要な英語運用能力です。大学や大学院では、日常会話のほかに、講義を聞いてノートをとり、研究室やゼミで発表し、レポートをまとめたりするような英語力が求められます。このような大学での学習や研究では、特定の専門家集団、ディ

スコース・コミュニティを意識した、語彙の選択や適切な表現のスタイルの使用が求められます。つまり、「学術目的の英語」が必要となります。これまで出てきた「一般目的の英語」と「学術目的の英語」の関係を示すと図1のようになります。「一般目的の英語」と比べて置かれるのが、「特定目的の英語（ESP: English for Specific Purposes）」であり、「学術目的の英語」はディスコース・コミュニティによって、さらに分けられたうちの1つになります。

　TOEFL®テストはかならずしも学術目的の英語に特化した試験ではありませんが、受験に向けた対策では、対象となる英語の背景を十分に理解し、学習に取り組んでください。

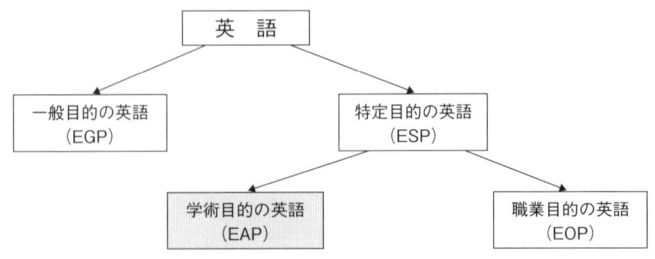

図1．「学術目的の英語」の位置づけ

　EAPの学習を対象とした単語集や参考書には次のようなものがあります。
　『京大・学術語彙データベース基本英単語1110』（研究社）
　『Writing for Academic Purposes——英作文を卒業して英語論文を書く』
　（ひつじ書房）

■ TOEFL ITP® テストとは？

　TOEFL ITP®テストのITPとはInstitutional Testing Programsの略で、TOEFL®テストを開発するETSが提供する、団体向けテストプログラムのことです（以下、本書ではTOEFL ITP®テストをTOEFL ITPと表記します）。TOEFL ITPのスコアは、TOEFL iBT®のスコアと異なり、公的な効力

1. いま、なぜ本書か？

はないため、留学の際の審査などには、通常、用いることはできません。もっとも、最近では、提携校への留学審査に TOEFL ITP のスコアを利用する大学も増えてきています。

なお、TOEFL ITP には Level 1 と Level 2 の 2 つのレベルがあり、Level 2 のほうが難易度のやや低い問題で構成されています (Level 2 の最高点は 500 点に設定されています)。このため、Level 2 のほうは、入門的な位置づけとなります。本書で取り上げる TOEFL ITP は、一般的な Level 1 のテストです。

TOEFL ITP の内容は以前に実施されていたペーパー版 TOEFL® テスト (TOEFL® PBT, 677 点満点) の問題を再利用したものであり、問題作成のプロセスはもちろん、出題形式や採点方法も実際に行われた TOEFL® PBT に準じています。したがって、TOEFL ITP のスコアは、現在の公式 TOEFL® テスト (TOEFL iBT®) のスコアと高い相関関係があります。

以下の表は ETS が公表している TOEFL® PBT のスコアと TOEFL iBT® のスコアとの対応を示したものです。TOEFL ITP は TOEFL® PBT を再利用したものであるため、表の PBT スコアを ITP のスコアとして読みかえると、TOEFL iBT® のスコアとの比較ができます。

TOEFL® PBT と TOEFL iBT® のスコア比較表 (表 1～表 4)

表 1. 合計スコアの比較表

PBT スコア	iBT スコア
640–677	111–120
590–637	96–110
550–587	79–95
513–547	65–78
477–510	53–64
437–473	41–52
397–433	30–40
347–393	19–29
310–343	9–18
310	0–8

注: PBT スコアには、ライティングとスピーキングは含まれていません。

TOEFL ITP® テストと本書の活用法について

表2. リスニングスコア比較表

PBT リスニング	iBT リスニング
65-68	29-30
60-64	26-28
56-59	22-25
53-55	18-21
50-52	15-17
47-49	12-14
44-46	9-11
40-43	5-7
34-39	1-4
31-33	0-1

表3. リーディングスコア比較表

PBT リーディング	iBT リーディング
64-67	28-30
59-63	26-28
56-58	21-24
52-55	17-20
48-51	14-16
44-47	11-13
40-43	8-10
34-39	5-7
31-33	1-4
31	0

表4. ライティングスコア比較表

PBT 表現	iBT ライティング
65-68	28-30
59-64	22-26
55-58	17-20
51-54	13-16
47-50	11-13
43-46	10-11
39-42	8-9
33-38	7-8
31-32	3-6
31	0-1

注：新しい形式である TOEFL iBT® のライティングセクションは次の２つのタスクから構成されています。１つは独立タスク (independent essay) で、もう１つは統合タスク (integrated writing task) です。TOEFL® PBT の表現セクションは選択問題のみであり、課されていたエッセイのスコアは総合点とは別に通知されます。したがって、これらのスコアは厳密に言えば異なるものです。

　本書に収録された本物の TOEFL ITP の問題を解いて、自分のスコアを比較表にあてはめてみてください。将来、TOEFL iBT® を受けようと思っている方は、現在の自分の英語力がどの程度なのか、確かめられます（ただし、TOEFL ITP にはスピーキングとライティングのセクションがないので、あくまでおおまかな比較として考えてください）。

1. いま、なぜ本書か？

　日本人受験者の TOEFL ITP の平均点は公開されていませんが、公開されている TOEFL iBT® 受験者の母語別平均点からおおよその点数がわかります。日本語母語話者の平均点は 69 点（120 点満点）ですので、詳細な比較表で換算すると、TOEFL ITP の平均点は 523 点になります（ETS 作成 Test and Score Data Summary 2011 年度版より）。

■ TOEFL ITP の利用状況と利用目的

　TOEFL ITP は、現在、世界中の大学などの教育関連機関で利用されています。日本国内においても、高等学校や短期大学、大学、大学院、官公庁などを中心に、年間約 400〜500 団体（延べ 16〜17 万人）で利用されています。

　国内でのおもな利用目的のうちわけは次のとおりです（p. 8 図 2 参照）。

1. クラス分けテスト（25%）
2. 留学希望者の選抜試験（18%）
3. 英語力の測定（15%）
4. カリキュラムの効果測定（13%）
5. TOEFL® テストの受験準備（10%）

ほかにも、従来の英語試験に代わる試験として採用されたり、英語の研修や学習の動機づけのために利用されたりしています（CIEE 作成『TOEFL® テスト ITP サマリーブック』より）。

　利用目的の上位からみると、TOEFL ITP は、留学準備やそのための TOEFL iBT® の受験準備という目的だけでなく、むしろ学習者個人の英語力の測定や、大学などの教育機関におけるクラス分けやカリキュラム評価を目的に利用されていると言えます。同テストの結果を単位認定や入学試験における英語力評価の一部として扱う大学や大学院もあります。

　長い間、公式テストとして実施されてきた TOEFL® PBT が元になっているので、テストの結果と実力の間の相関がはっきりしているのが、実力試験としても TOEFL ITP が信頼されている理由だと思われます。所要時間や受

TOEFL ITP® テストと本書の活用法について

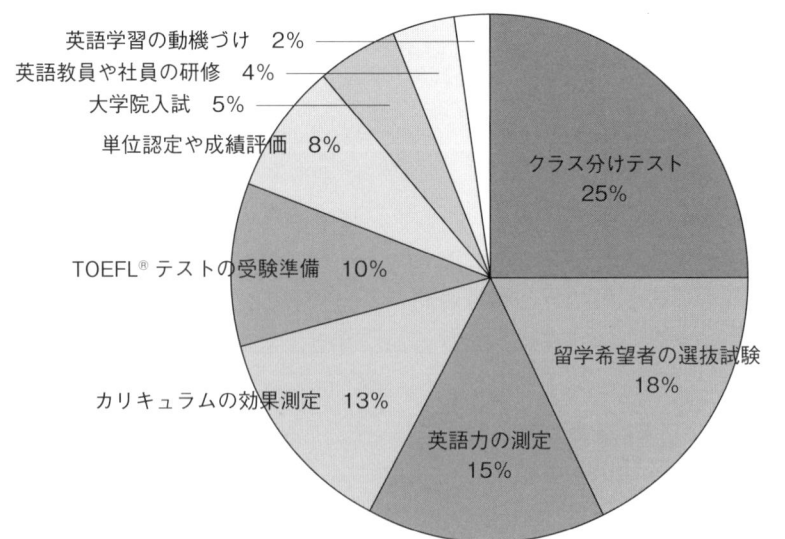

（CIEE 作成 TOEFL ITP スコア利用実態調査(2009)より）

図2. 国内における TOEFL ITP の利用目的

験費用、その他、運営や実施の観点からみても、TOEFL ITP は今後、高校や大学において利用される機会がますます増えることでしょう。

2　本書の特徴

■ 本物の TOEFL ITP の問題を使った学習ガイド

　本書は、TOEFL® テストを開発している ETS、および同テストを日本国内で運営している国際教育交換協議会（CIEE）日本代表部の協力を得て、本物の TOEFL ITP の問題を収録、解説しています。問題の内容・レベルだけでなく、指示文や解答用アンサーシートも本物と同一のものです（アンサーシートは縮小版です）。

　受験前に、問題のレベルから指示文の説明、解答用紙にいたるまで、本書を通して TOEFL ITP に慣れ親しんでおくことが、同テストのスコアアップ

へのいちばんの近道となることでしょう。実際の試験では、問題冊子にメモを取ったり、試験後に間違えた問題を振り返ったりすることはできませんが、本書を活用すれば効果的な解き方を考えたり、苦手な部分を発見したりすることも可能になります。ぜひ、ご自身に合った使い方をさぐってみてください。

■ 理論と実践にもとづく学習法の紹介

本書の執筆陣は、大学の授業や講座で TOEFL® テスト指導の経験が豊富な教員や外国語教育の研究に携わっている者が中心です。TOEFL ITP で問われるリスニングやリーディング技能の育成に向けた学習アドバイスは、これまでの実践研究や理論研究にもとづいています。

本書だけでは、読者であるみなさんひとり一人の個人差への対応は、かならずしも十分ではないかもしれませんが、TOEFL ITP 受験者にとって重要な内容に絞って学習アドバイスを行いました。本書を通して、TOEFL® テストがより身近な存在になり、みなさんのスコアアップにつながれば幸いです。

2. TOEFL ITP の構成と各セクションの特徴

1 問題構成とスコアについて

TOEFL ITP は、リスニング（聴解）、文法、リーディング（読解）の 3 つのセクションから構成されています（p. 10 表 5 参照）。各セクションの詳細な解説は、Part 2 で行いますので、そちらも参考にしてください。

TOEFL ITP のスコアは各セクションの正解数から素点を求めて計算します。各セクションの素点は、テストごとにあらかじめ決められたスコア換算表によって決まります。換算表の 1 例を次ページの表 6 に示しています。換算表での正解数と素点との対応関係は、テストによって若干のばらつきがあ

TOEFL ITP® テストと本書の活用法について

表5. TOEFL ITP の構成

問題タイプ	解答時間	問題数	最高点	最低点
Section 1: Listening Comprehension (聴解問題)	約35分	50問	68点	31点
Section 2: Structure and Written Expression (文法問題)	25分	40問	68点	31点
Section 3: Reading Comprehension (読解問題)	55分	50問	67点	31点
合　計	約115分	140問	677点	310点

表6. 正解数とスコア換算表

正解数	Section 1 換算点	Section 2 換算点	Section 3 換算点
48-50	64-68		65-67
45-47	61-63		61-63
42-44	58-60		58-60
39-41	55-57		56-58
36-38	53-55	63-68	54-56
33-35	51-53	59-61	53-54
30-32	50-51	56-58	51-52
27-29	48-49	53-55	49-51
24-26	47-48	50-52	48-49
21-23	45-46	48-49	45-47
18-20	43-44	45-47	43-45
15-17	41-42	42-44	39-42
12-14	37-40	39-42	32-37
9-11	33-35	34-38	31
6-8	31-32	31	31
0-5	31	31	31

2. TOEFL ITP の構成と各セクションの特徴

るので注意してください。具体的には、テストによって素点の区切りが1〜2点前後することがあります。また、各セクションには「採点されない問題」も含まれることがあります。

それでは、表6を見ながら、スコアの計算の方法をみていきましょう。この表では、合計得点も幅をもった値になります。スコアの上の値は、正解数から求めたセクションの素点のうち、それぞれの上の値を用いて計算します。逆にスコアの下の値は、それぞれの下の値を用いて計算します。

具体的なスコアの計算は次のとおりです。まず、正解数から、各セクションの素点を求めます。次に、先ほど求めた各セクションの素点を合計して、その値を10倍して3で割ります（四捨五入）。これが合計スコアになります。

たとえば、各セクションの正解数が順番に、「28, 30, 40」だとすると、表6から各セクションの素点が「48–49, 56–58, 56–58」であることがわかります。ここから、スコアの下の値を計算すると、48＋56＋56＝160になります。この値を10倍して3で割ると160×10÷3＝533.3となり、スコアの下限は533点になります。次に、スコアの上の値を計算すると、49＋58＋58＝165となり、スコアの上限は165×10÷3＝550.0となります。したがって、最終的なスコアは533点から550点の間になります（533–550点）。

2 指示文について

ここでは、本物の TOEFL ITP の問題用紙に書かれている「指示文」を提示します。本書であらかじめ指示文を理解しておくことによって、どのような意図で設問がなされているかわかったうえで、あせらずに問題に取り組むことができます。それぞれの指示文には日本語訳を載せています。

セクションごとの指示文をみていく前に、"General Directions"（全般的指示）をみましょう。この General Directions は TOEFL ITP の問題冊子の裏面に書かれています。試験の際には、この General Directions を読んだうえで始めることになっています。

TOEFL ITP® テストと本書の活用法について

General Directions

This is a test of your ability to use the English language. It is divided into three sections, some of which have more than one part. Each section or part of the test begins with a set of specific directions that include sample questions. Be sure you understand what you are to do before you begin to work on a section.

The supervisor will tell you when to start each section and when to go on to the next section. You should work quickly but carefully. Do not spend too much time on any one question. If you finish a section early, you may review your answers on that section only. You may not go on to the next section and you may not go back to a section you have already worked on.

You will find that some of the questions are more difficult than others, but you should try to answer every one. Your score will be based on the number of correct answers you give. If you are not sure of the correct answer to a question, make the best guess you can. It is to your advantage to answer every question, even if you have to guess the answer.

Do not mark your answers in the test book. You must mark all of your answers on the separate answer sheet that the supervisor will give to you. When you mark your answer to a question on your answer sheet, you must:
— Use a medium-soft (#2 or HB) black lead pencil.
— Be careful to mark the space that corresponds to the answer you choose for each question. Also, make sure you mark your answer in the row with the same number as the number of the question you are answering. You will not be permitted to make any corrections after time is called.
— Mark only one answer to each question.
— Carefully and completely fill each intended oval with a dark mark so that you cannot see the letter inside the oval.

2. TOEFL ITP の構成と各セクションの特徴

— Erase all extra marks completely and thoroughly. If you change your mind about an answer after you have marked it on your answer sheet, completely erase your old answer and then mark your new answer.

The examples below show you the correct and wrong ways of marking an answer sheet. Be sure to fill in the ovals on your answer sheet the correct way.

Some or all of the passages for this test have been adapted from published material to provide the examinee with significant problems for analysis and evaluation. To make the passages suitable for testing purposes, the style, content, or point of view of the original may have been altered in some cases. The ideas contained in the passages do not necessarily represent the opinions of the TOEFL Board or Educational Testing Service.

日本語訳

　これは英語の使用能力をテストするものです。3つのセクションがあり、2つ以上のパートから成り立っているものもあります。どのセクション・パートもセクションごとの指示文と問題例から始まります。各セクションに取りかかる前にしっかりと指示文を理解してください。

　試験監督者は各セクションの始まりと、次のセクションへ進むときに指示をします。すばやく、そして注意深く問題に取り組んでください。どの問題でも、1問に時間をかけすぎてはいけません。1つのセクションを早めに終わらせても、見直してよいのは**そのセクションだけ**です。次のセクションに**進んではいけません**。また、すでに解き終わったセクションに**戻ってもいけません**。

　問題によってはほかの問題よりも難しいものがあります。しかし、すべ

TOEFL ITP® テストと本書の活用法について

ての問題に解答するようにしてください。得点は**正解した問題の数にもとづいています**。自信のない問題についても、できるかぎり推測して解答してください。たとえ推測であっても、すべての問題に解答することは有利になります。

問題冊子にマークしてはいけません。**すべての解答は試験監督者が配布する解答用紙にマークしてください**。解答用紙にマークするときには、次のことを守らなくてはいけません。

- ■中程度の硬さの黒芯（**2B** または **HB**）鉛筆を使ってください。
  ※著者注：実際には指定以外の鉛筆やシャープペンシルを使うことも可能です。しかし、マークシートを塗りつぶす際、薄すぎると採点されません。HB 以上の鉛筆を使うほうがよいでしょう。なお、ボールペンでは採点されないので注意してください。
- ■各問題で選んだ答えに対応する部分を注意深くマークしてください。また、解答した問題番号と同じ番号の列に答えをマークするようにしてください。試験終了後は、どんな修正もすることは許されません。
- ■各問題で、マークできる答えは1つだけです。
- ■選んだ楕円を、中のアルファベットが見えなくなるように、注意深くそして完全に黒く塗りつぶしてください。
- ■余分なマークは完全に消してください。答えを変更する場合は、前の答えを完全に消してから、新しい答えをマークしてください。

以下にマークのやり方として、**正しい例**と、**悪い例**をあげています。解答用紙の楕円を**正しいやり方で塗りつぶす**ようにしてください。

正しい例	悪い例	悪い例	悪い例	悪い例
Ⓐ Ⓑ ● Ⓓ	Ⓐ Ⓑ ✓ Ⓓ	Ⓐ Ⓑ ✗ Ⓓ	Ⓐ Ⓑ Ⓒ Ⓓ	Ⓐ Ⓑ Ⓒ Ⓓ

この問題冊子の題材の一部、またはすべての文章は、受験者に分析、評価のための問題を提供するために、市販の出版物から採られているものがあります。これらの文章は、テスト目的に合うように、文体や内容、視点が変更されている場合があります。各問題に表れている考え方は、**TOEFL 委員会**や **Educational Testing Service** の意見をかならずしも反映するものではありません。

2. TOEFL ITPの構成と各セクションの特徴

Section 1
Listening Comprehension
（リスニング問題）

それでは実際のテスト問題の指示文に入ります。

最初のセクションはリスニング（聴解）問題です。TOEFL ITPのリスニング問題では、北米で話されている標準的な英語を聞き取り、話されている内容を理解する力が問われます。問題は3つのパート（Part A～Part C）に分かれており、各パートとも、音声を聞き取って設問に答えます。各問題と質問は一度しか聞くことができませんので、注意しましょう。

最初にリスニングセクション全体の指示文をみてみます。

Track No. 01

In this section of the test, you will have an opportunity to demonstrate your ability to understand conversations and talks in English. There are three parts to this section with special directions for each part. Answer all the questions on the basis of what is stated or implied by the speakers in this test. Do **not** take notes or write in your test book at any time. Do **not** turn the pages until you are told to do so.

日本語訳

本テストのこのセクションでは、英語による会話や話を理解する能力を測ります。このセクションには3つのパートがあり、それぞれに指示文が付いています。すべての問題は、話し手が述べたこと、または示唆したことにもとづいて解答してください。いかなる場合も問題冊子にメモや書き込みはしてはいけません。指示があるまでページはめくってはいけません。

続いて Part A の指示文です。

Track No. 02

Part A

Directions: In Part A, you will hear short conversations between two people. After each conversation, you will hear a question about the conversation. The conversations and questions will not be repeated. After you hear a question, read the four possible answers in your test book and choose the best answer. Then, on your answer sheet, find the number of the question and fill in the space that corresponds to the letter of the answer you have chosen.

Here is an example.

On the recording, you hear:

Sample Answer
● Ⓑ Ⓒ Ⓓ

In your test book, you read: (A) He doesn't like the painting either.
(B) He doesn't know how to paint.
(C) He doesn't have any paintings.
(D) He doesn't know what to do.

You learn from the conversation that neither the man nor the woman likes the painting. The best answer to the question "What does the man mean?" is (A), "He doesn't like the painting either." Therefore, the correct choice is (A).

日本語訳

指示文： パートAでは、2人の話し手の短い会話を聞きます。それぞれの会話の後に、会話に関係した質問を聞きます。会話と質問は繰り返されません。質問を聞いた後、問題冊子にある4つの選択肢を読み、もっともふさわしいと思うものを選んでください。そして、解答用紙の問題番号を探し、答えとして選んだアルファベットに対応する部分を塗りつぶしてください。

2. TOEFL ITP の構成と各セクションの特徴

それでは例題です。

録音を聞きます。

問題冊子を読みます。
- (A) 彼もその絵が好きではない。
- (B) 彼は絵の描き方がわからない。
- (C) 彼は絵をもっていない。
- (D) 彼は何をしたらよいかわからない。

会話から、男性、女性ともにその絵が好きではないことがわかります。"What does the man mean?"（その男性は何を言おうとしているか）という質問に対するもっともふさわしい回答は (A) の "He doesn't like the painting either."（彼もその絵が好きではない）です。したがって、正解は (A) です。

実際には、この指示文の次のページから Part A の問題が始まります。次は、Part B の指示文です。Part B の指示文には、例題はありません。

Track No. 03

Part B

Directions: In this part of the test, you will hear longer conversations. After each conversation, you will hear several questions. The conversations and questions will not be repeated.

After you hear a question, read the four possible answers in your test book and choose the best answer. Then, on your answer sheet, find the number of the question and fill in the space that corresponds to the letter of the answer you have chosen.

Remember, you are **not** allowed to take notes or write in your test book.

日本語訳

指示文: 本テストのこのパートでは、長めの会話を聞きます。それぞれの会話の後で、いくつかの質問を聞きます。会話と質問は繰り返されません。質問を聞いた後、問題冊子にある4つの選択肢を読み、もっともふさわしいと思うものを選んでください。そして、解答用紙の問題番号を探し、答えとして選んだアルファベットに対応する部分を塗りつぶしてください。問題冊子に、メモや書き込みをしてはいけないことに注意してください。

リスニングセクションは Part C が最後のパートです。Part C の指示文は次のとおりです。

Track No. 04

Part C

Directions: In this part of the test, you will hear several short talks. After each talk, you will hear some questions. The talks and the questions will not be repeated.

After you hear a question, read the four possible answers in your test book and choose the best answer. Then, on your answer sheet, find the number of the question and fill in the space that corresponds to the letter of the answer you have chosen.

Here is an example.

On the recording, you hear:

Now listen to a sample question.

Sample Answer
Ⓐ Ⓑ ● Ⓓ

In your test book, you read:
(A) To demonstrate the latest use of computer graphics.
(B) To discuss the possibility of an economic depression.
(C) To explain the workings of the brain.

2. TOEFL ITP の構成と各セクションの特徴

(D) To dramatize a famous mystery story.

The best answer to the question "What is the main purpose of the program?" is (C), "To explain the workings of the brain." Therefore, the correct choice is (C).

Now listen to another sample question.

Sample Answer
Ⓐ Ⓑ Ⓒ ●

In your test book, you read:
(A) It is required of all science majors.
(B) It will never be shown again.
(C) It can help viewers improve their memory skills.
(D) It will help with course work.

The best answer to the question "Why does the speaker recommend watching the program?" is (D), "It will help with course work." Therefore, the correct choice is (D).

Remember, you are **not** allowed to take notes or write in your test book.

(日本語訳)

指示文：本テストのこのパートでは、いくつかの短い話を聞きます。それぞれの話の後で、いくつかの質問を聞きます。話と質問は繰り返されません。

質問を聞いた後、問題冊子にある4つの選択肢を読み、もっともふさわしいと思うものを選んでください。そして、解答用紙の問題番号を探し、答えとして選んだアルファベットに対応する部分を塗りつぶしてください。

それでは例題です。

録音を聞きます。

質問例を聞きます。

問題冊子を読みます。
    (A) 最新の CG の使い方を説明するため
    (B) 経済不況の可能性を議論するため
    (C) 脳の働きを説明するため
    (D) 有名なミステリーをドラマ化するため

"What is the main purpose of the program?"（その番組の主目的は何ですか）という質問に対するもっともふさわしい回答は、(C) の "To explain the workings of the brain."（脳の働きを説明するため）です。したがって、正解は (C) です。

もう 1 つの質問例を聞きます。

問題冊子を読みます。
    (A) その番組はすべての理系学生の必修である。
    (B) その番組は二度と放送されないだろう。
    (C) その番組は視聴者の記憶術を改善する。
    (D) その番組はコースワークに役立つだろう。

"Why does the speaker recommend watching the program?"（なぜ話し手はその番組を見ることをすすめるのか）という質問に対するもっともふさわしい回答は、(D) の "It will help with course work."（コースワークに役立つだろう）です。したがって、正解は (D) です。

問題冊子に、メモや書き込みをしてはいけないことに注意してください。

2. TOEFL ITP の構成と各セクションの特徴

Section 2
Structure and Written Expression
（文法問題）

　2番目のセクションは、文法問題が中心となります。このセクションでは、標準的な書き言葉の文法や表現の知識が問われます。問題は2つのタイプに分かれており、前半は下線部分に正しい語句を補い文章を完成させる問題、後半は与えられた文の中にある文法や語法の誤りを指摘する問題になっています。

　セクション2とセクション3は解答時間が設定されており、指示文も解答時間内に読むことになっています。また、実際のテストではそれぞれのセクションが終わっても、前のセクションに戻ったり、次のセクションに進んだりすることはできませんので注意してください。

　最初は文法セクション全体の指示文です。

This section is designed to measure your ability to recognize language that is appropriate for standard written English. There are two types of questions in this section, with special directions for each type.

◆日本語訳◆

　このセクションは、標準的な英語の書き言葉として適切な言葉づかいを認識する能力を測ることが目的です。このセクションには2種類の問題があり、それぞれに指示文が付いています。

　次に、ストラクチャ（構造）のパートの指示文です。

Structure

Directions: Questions 1–15 are incomplete sentences. Beneath each sentence you will see four words or phrases, marked (A), (B), (C), and (D). Choose the **one** word or phrase that best completes the sentence. Then, on your answer sheet, find the number of the question and fill in the space that corresponds to the letter of the answer you have chosen.

Example I   Sample Answer

Geysers have often been compared to volcanoes -------
they both emit hot liquids from below the Earth's surface.
(A) due to
(B) because
(C) in spite of
(D) regardless of

The sentence should read, "Geysers have often been compared to volcanoes because they both emit hot liquids from below the Earth's surface." Therefore, you should choose (B).

Example II   Sample Answer

During the early period of ocean navigation, -------
any need for sophisticated instruments and techniques.
(A) so that hardly
(B) when there hardly was
(C) hardly was
(D) there was hardly

The sentence should read, "During the early period of ocean navigation, there was hardly any need for sophisticated instruments and techniques." Therefore, you should choose (D).

Now begin work on the questions.

2. TOEFL ITP の構成と各セクションの特徴

> 日本語訳

指示文: 問題1から15は不完全な文です。それぞれの文の下に、4つの単語または句があり、(A)、(B)、(C)、(D)と記号が付いています。文を完成させるためにもっともふさわしいと思う単語または句を1つ選んでください。そして、解答用紙の問題番号を探し、答えとして選んだアルファベットに対応する部分を塗りつぶしてください。

例題 I

Geysers have often been compared to volcanoes -------
they both emit hot liquids from below the Earth's surface.

(A) due to
(B) because
(C) in spite of
(D) regardless of

この文は、次のようになります。"Geysers have often been compared to volcanoes because they both emit hot liquids from below the Earth's surface."(間欠泉がしばしば火山と比較されてきたのは、両者とも地表面下から熱湯を噴出するからだ)。したがって、(**B**)を選びます。

例題 II

During the early period of ocean navigation, -------
any need for sophisticated instruments and techniques.

(A) so that hardly
(B) when there hardly was
(C) hardly was
(D) there was hardly

この文は、次のようになります。"During the early period of ocean navigation, there was hardly any need for sophisticated instruments and techniques."(遠洋航海術が出てきた初期の時代には、洗練された道具や技術が必要とされることはめったになかった)。したがって、(**D**)を選びます。

それでは問題に取りかかってください。

続いて、表現問題のパートの指示文です。

Written Expression

Directions: In questions 16–40 each sentence has four underlined words or phrases. The four underlined parts of the sentence are marked (A), (B), (C), and (D). Identify the **one** underlined word or phrase that must be changed in order for the sentence to be correct. Then, on your answer sheet, find the number of the question and fill in the space that corresponds to the letter of the answer you have chosen.

Example I   **Sample Answer**

● Ⓑ Ⓒ Ⓓ

Guppies are sometimes call rainbow fish because of
                           A   B   C
the males' bright colors.
                   D

The sentence should read, "Guppies are sometimes called rainbow fish because of the males' bright colors." Therefore, you should choose (A).

Example II   **Sample Answer**

Ⓐ ● Ⓒ Ⓓ

Serving several term in Congress, Shirley Chisholm
   A   B
became an important United States politician.
                     C   D

The sentence should read, "Serving several terms in Congress, Shirley Chisholm became an important United States politician." Therefore, you should choose (B).

Now begin work on the questions.

2. TOEFL ITP の構成と各セクションの特徴

> 日本語訳

指示文：問題 16 から 40 では、それぞれの文には 4 つの下線が引かれた単語または句があります。文の 4 つの下線部には (A), (B), (C), (D) の記号が付いています。その文が正しくなるために、変えなければならない下線の語または句を 1 つ選んでください。そして、解答用紙の問題番号を探し、答えとして選んだアルファベットに対応する部分を塗りつぶしてください。

例題 I

Guppies are sometimes <u>call</u> rainbow <u>fish</u> <u>because of</u>
       A   B   C
the males' <u>bright</u> colors.
     D

この文は、次のようになります。"Guppies are sometimes called rainbow fish because of the males' bright colors."（グッピーはオスのあざやかな色ゆえに、ときに「虹色の魚」と呼ばれることがある）。したがって、(A) を選びます。

例題 II

<u>Serving</u> several <u>term</u> in Congress, Shirley Chisholm
 A   B
became an <u>important</u> United States <u>politician</u>.
     C   D

この文は、次のようになります。"Serving several terms in Congress, Shirley Chisholm became an important United States politician."（議会で何期かの任期を務めるうちに、Shirley Chisholm はアメリカ合衆国の重要な政治家になった）。したがって、(B) を選びます。

それでは問題に取りかかってください。

TOEFL ITP® テストと本書の活用法について

Section 3
Reading Comprehension
（リーディング問題）

最後のセクションはリーディングの問題です。このセクションでは、英語圏の大学の授業で使われるような文章を通して、みなさんの読解力が問われます。さまざまな学術分野の内容が扱われますが、問題を解くうえで専門知識が要求されることはありません。

それでは、指示文をみてみましょう。セクション3の指示文は、以下の1ヵ所しかありません（レイアウトの都合で行番号を変更しています）。

Directions: In this section you will read several passages. Each one is followed by several questions about it. For questions 1-50, you are to choose the **one** best answer, (A), (B), (C), or (D), to each question. Then, on your answer sheet, find the number of the question and fill in the space that corresponds to the letter of the answer you have chosen.

Answer all questions following a passage on the basis of what is **stated** or **implied** in that passage.

Read the following passage:

　　　The railroad was not the first institution to impose regularity on society, or to draw attention to the importance of precise timekeeping. For as long as merchants have set out their wares
Line　at daybreak and communal festivities have been celebrated,
(5)　people have been in rough agreement with their neighbors as to the time of day. The value of this tradition is today more apparent than ever. Were it not for public acceptance of a single yardstick of time, social life would be unbearably chaotic: the massive daily transfers of goods, services, and information would proceed
(10)　in fits and starts; the very fabric of modern society would begin to unravel.

2. TOEFL ITP の構成と各セクションの特徴

Example I　　　　　　　　　　　**Sample Answer**
　　　　　　　　　　　　　　　　　　Ⓐ　Ⓑ　●　Ⓓ

What is the main idea of the passage?
(A) In modern society we must make more time for our neighbors.
(B) The traditions of society are timeless.
(C) An accepted way of measuring time is essential for the smooth functioning of society.
(D) Society judges people by the times at which they conduct certain activities.

The main idea of the passage is that societies need to agree about how time is to be measured in order to function smoothly. Therefore, you should choose (C).

Example II　　　　　　　　　　　**Sample Answer**
　　　　　　　　　　　　　　　　　　Ⓐ　Ⓑ　Ⓒ　●

In line 6, the phrase "this tradition" refers to
(A) the practice of starting the business day at dawn
(B) friendly relations between neighbors
(C) the railroad's reliance on time schedules
(D) people's agreement on the measurement of time

The phrase "this tradition" refers to the preceding clause, "people have been in rough agreement with their neighbors as to the time of day." Therefore, you should choose (D).

Now begin work on the questions.

Part 1

Part 2

Part 3

（ 日本語訳 ）

指示文: このセクションでは、いくつかの文章を読みます。それぞれの文章にはそれに関係した問題があります。1 から 50 の問題に対し、それぞれ (A)，(B)，(C)，(D) のなかから、もっともふさわしいと思う回答を 1 つ選

TOEFL ITP® テストと本書の活用法について

んでください。そして、解答用紙の問題番号を探し、答えとして選んだアルファベットに対応する部分を塗りつぶしてください。

文章に続くすべての問題に、文章中に**述べられている**、もしくは、**示唆されている**ことを根拠にして答えてください。

次の文章を読んでください:

　　鉄道は、社会に一定の規則性を与え、時間を厳守することの重要性に注意を向けさせた最初の制度ではない。商人たちが夜明けとともに商品を並べるようになり、また共同社会の祝いごとが執り行われるようになった時代から、人々は時刻について隣人たちとおおまかに合意してきたからである。今日ではこの伝統の重要性は、かつてよりも明白だ。もし、時間に関する単一の物差しが一般に承認されていなければ、社会生活は耐えがたいほど無秩序なものになってしまうだろう。すなわち、商品やサービス、情報の大規模な日々の流通は散発的なものになるだろうし、現代社会の骨組みそのものが崩壊し始めることになるだろう。

例題 I
この文章の主題は何か。
- (A) 現代社会では、我々は隣人たちのためにより多くの時間をつくらねばならない。
- (B) 社会の伝統は時代に左右されない。
- (C) 一般に認められた時間の計測法が、社会の円滑な機能のために不可欠である。
- (D) 社会は人々を、彼らがある活動を行う時間によって判断する。

この文章の主題は、社会が円滑に機能するためには、時間がどう計測されるかについて社会的に合意する必要がある、ということです。したがって、(C) を選びます。

例題 II
6 行目にある、"this tradition" が指すのは次のどれか。
- (A) 日の出とともに商売を開始するという慣習
- (B) 隣人どうしの親しい関係

2. TOEFL ITP の構成と各セクションの特徴

(C) 鉄道の時刻表への依存
(D) 時間の計測に関する人々の合意

"this tradition" は、その前の節、"people have been in rough agreement with their neighbors as to the time of day." (人々は時刻について隣人たちとおおまかに合意してきた) を指しています。したがって、(D) を選びます。

それでは問題に取りかかってください。

本書の Part 1 はここまでです。TOEFL® テストの概要や目的は理解できましたか。また、全般的指示や各セクションの指示文は把握できたでしょうか。指示文をあらかじめ理解しておくと、本番の際にも落ち着いて解答することができるようになります。できるだけ不安を取り除いて、試験に臨むようにしましょう。

受験の際の留意点

・必需品
① 鉛筆 (2B または HB) 数本と消しゴム
　解答はマークシートに行うので、鉛筆を用意しておいたほうがよいでしょう。
② 時計
　解答時間が限られているので、時計があると便利です。

・マークシートへの記入の練習
　巻末に解答用紙 (マークシート) 見本を紹介しているので、それを使ってあらかじめ受験票や解答の記入の練習をしておきましょう。

Part 2

スコアUPに向けた学習法

Part 2

スコア UP に向けた学習法

　TOEFL ITP の問題構成を考えると、テスト方略としては、特にリスニング技能（聴解力）、文法知識、リーディング技能（読解力）、そしてその土台となる語彙力の向上が求められていると言えるでしょう。Part 2 では、まず TOEFL ITP に必要な語彙と文法の知識について概観します。続いて、技能別に学習法を紹介し、実際の TOEFL ITP の問題形式と解法を解説します。

1. TOEFL ITPに必要な語彙と文法知識

1　語彙知識を深める

　「聞く・話す・読む・書く」の4技能を支えているのが、語彙と文法の知識です。ここでは語彙知識について考えてみましょう。

■ **語彙知識とは？**
　そもそも、「語を知っている」とは、どういうことでしょうか。
　一般に、語彙知識には ① 形式、② 意味、③ 使用の3つの側面があると言われています。意味を知っているからといって、かならずしも正しく綴ることができ、正しく発音ができるとはかぎりません。また、文中でその語を正しく使用できるともかぎりません。
　さらに、意味を知っていると言っても、英和辞典の見出し語の最初の意味

1. TOEFL ITP に必要な語彙と文法知識

しか知らないのでは十分とは言えないでしょう。たとえば、function は「機能」（名詞）という意味ですが、ほかにも「機能する」（動詞）という意味や、学術の分野では「関数」（名詞）という意味になることもあります。このように、語彙知識には、語彙の「広さ」（語彙数）だけでなく、「深さ」（品詞や用法）といった側面もあるのです。

■ 語彙知識とリーディング

　たとえば、次の英文を読んで意味を理解してみてください。文中に空所が5ヵ所ありますが、それぞれみなさんの知らない語（未知語）が入っていると仮定してください。なお、未知語の出現率は10%にしています。

The ＿＿＿ pen is the universal writing ＿＿＿ of the twentieth century. When the tiny metal ＿＿＿ at the writing tip is drawn across a sheet of paper, it rotates within a ＿＿＿ at the end of an ink ＿＿＿ and is coated with ink, which it transfers to the paper.

　いかがでしたか。空所の語が抜けた状態で、文章の意味が正しく理解できましたか。ある研究によると、こうした未知語の出現率が2〜5%に達すると、文章の理解が困難になると言われています。つまり、文章を正しく理解するためには、その文章内の95%から98%の語についての知識が必要ということになります。リーディングにおいて、いかに語彙知識が重要であるかが理解できたでしょうか。このことはリスニングにもあてはまります。リスニングでは、意味にくわえて、どのように発音されるのかという音声に関する知識も必要になります。
　参考までに空所を埋めた文章もあげておきます。

The ballpoint pen is the universal writing instrument of the twentieth century. When the tiny metal ball at the writing tip is drawn across a sheet of paper, it

rotates within a housing at the end of an ink reservoir and is coated with ink, which it transfers to the paper.（51 語）
（ボールペンは 20 世紀におけるごく一般的な筆記用具である。ペンの先にある小さな金属のボールが紙の上でなぞられると、インク容器の末端のさやの中でボールが回転してインクで覆われ、そのインクが紙へと転写される）

■ 受容語彙知識と発表語彙知識

　語彙知識には、英語から意味を理解するための受容語彙知識と、意味を英語で表す際に求められる発表語彙知識があります。たとえば、リーディングやリスニングの問題で文の意味が問われる場合は、「見てわかる」「聞いてわかる」といった受容語彙知識が求められます。

　TOEFL ITP ではこうした受容語彙知識が大きな役割を果たします。一方、TOEFL iBT® ではライティングとスピーキングの問題がくわわるので、意味を英語で表現するための産出的な発表語彙知識も求められます。発表語彙知識がどのようなものかを確認するために、一例をあげておきます。たとえば、次の文の下線部に適切な語を 1 語入れて意味が通じる文にしてください（ただし、最初の 3 文字をヒントとして提示しています）。

　… and hence similar results were ant_____ from male and female informants.

　ここで期待される語は、anticipated です。ある大学で上の質問を出したところ、正答率は 20% 未満でした。おそらく「anticipate の意味を答えなさい」という質問であったなら、正答率はもっと高かったことでしょう。日本人の英語学習者は、この発表語彙知識が相対的に低いと言われています。将来 TOEFL iBT® を受験しようと考えている人やスピーキングやライティング技能を伸ばしたいと思っている人は、受容語彙知識のみならず、発表語彙知識の観点からも語彙学習に励んでください。

2 文法知識について

　TOEFL ITP では、文法知識そのものが問われるセクションがあります。TOEFL ITP の文法問題に関しては、おおむね高校の学習範囲内の文法力で間に合います。ですから、大学受験参考書などで文法事項を学習・復習することが第一歩となります。しかし、ここではもう少し広い意味で文法を捉えてみましょう。文法セクション以外で求められる文法知識は、内容を「すばやく」、そして「正確に」理解するためのものです。以下では、すばやく理解するための知識と正確に理解するための知識との2つに分けてみていきます。

■「すばやく」理解するための文法知識──リスニングのポイント

　まず、「すばやく」理解することについてですが、TOEFL ITP におけるリスニングとリーディングは、いずれも時間的な制約が厳しく、ひとつ一つの内容を日本語に訳したり、いわゆる返り読みをしたりするようでは、解答が間に合わず時間切れになってしまいます。そうならないためには、英語を前から順番に理解していくことが求められます。このときに役に立つのが、意味のまとまりを捉える方法と英語の語順についての知識です。

●意味のまとまりを捉える方法

　英語に限らず、文は、単語から句、句から節というように、ある程度のまとまりをもった単位によって構成されています。私たちは母語である日本語を読んだり、聞いたりするときには、これらのまとまりを無意識のうちに区切って理解しています。先ほどの文も文字や単語の単位ではなく、「母語である日本語を」、「これらのまとまりを」のように、意味のまとまりごとに捉えたはずです。同じように、母語でない英語をすばやく理解するためには、単語ごとに捉えるのではなく、意味のまとまりの単位で捉えることが必要です。

英語の意味のまとまりはどのようにして決まるのでしょうか。これを理解するために文法知識が鍵となってくるのです。特に重要なのは、名詞句や名詞節に関する知識です。名詞句や名詞節を理解するためには、中心となる名詞を修飾するための仕組みをおさえておかなければなりません。具体的には、関係詞や分詞、同格といった文法項目です。これらについては、後ほど確認していきますが、たんに文法問題を解くために覚えるのではなく、意味のまとまりごとに英語を捉えることができるように、仕組みを理解するように心がけてください。

●語順についての知識と要素の役割

　単語ごとではなく、意味のまとまりごとに捉えられるようになったら、次は、そのまとまりが文の要素として、どのような役割を果たしているかを理解しなければなりません。日本語では「が」や「を」、「で」などの格助詞によって、その要素が文の中でどのような役割（主語なのか、対象なのか、場所や手段なのか）を果たしているのかを判断することができます。日本語の場合、それぞれの要素の役割は、格助詞が出現した段階で、ある程度予測することができます。

　一方、英語は語順によって各要素の役割が決まります。したがって、要素が3つなのか（SVOなど）、4つなのか（SVOCなど）によって、同じ位置でも各要素の役割が異なることがあります。I made the desk out of wood. (SVO) と I made him clean the desk. (SVOC) という2つの文を例にみてみましょう。前の文では、主要な要素が3つなので "the desk" が made の目的語で、「机を」という意味になりますが、後の文では、made の目的語は "him" であり、「彼に」という意味になります。このように短い文であれば、全体の構造を把握してから各要素の役割を考えればよいのですが、長い文になると、すべての要素を確認していたのでは時間が足りなくなってしまいます。そこで、英語の場合には、どのような役割をもつ要素が必要になるかを考える枠組みをあらかじめ頭に置きながら、理解していくことが求められます。

それでは、どのように英文を理解していけばよいのでしょうか。
　英語は語順によって要素の役割が決まると述べましたが、この枠組みを利用します。日本語は基本的に文の最後に述語が来ますので、私たちは各要素の役割を理解しながら、無意識のうちに、最後にどのような述語が来るのかを予想しています。一方、英語の場合は、主語と動詞が先に来ます。したがって、どのような述語が来るのかを予想しながら理解するのではなく、どのような要素が来るのかを予想しながら理解するべきです。たとえば、I met ...（私は会った）と来れば、次に来るのは、「人（だれに）」「場所（どこで）」「時間（いつ）」などでしょうし、I put ...（私は置いた）と来れば、後ろには「物（なにを）」「場所（どこに）」が来ることでしょう。このような理解の仕方については、コラムで取り上げる「意味順」の考え方が参考になります。
　このように、主語と動詞から文全体の示す場面を想定し、後ろに続く要素が出てくるたびに、どの役割がふさわしいかを考えながら理解することで、いわゆる直読直解も可能になります。特にリスニングの場合は、後で振り返って各要素の役割を考える時間はほとんどありませんので、なるべく早いうちに、このような理解の方法に慣れる必要があります。そのためにも、動詞を学習する際には、それぞれの動詞がどのような要素を必要とするかを意識するようにしましょう（p. 39「意味順」のコラムを参照）。

■「正確に」理解するための文法知識──リーディングのポイント
　さて、次に「正確に」理解するための知識についてですが、これはおもに書き言葉、つまりリーディングの際に求められます。話し言葉では短い文をたくさんつないだり、大事な言葉を強調したりすることで、文の意味や話し手の意図をコントロールすることが可能です。言い換えると、日本語に限らず、英語でもその場の雰囲気や話し手の推測する力に依存している側面があるということです。しかし、書き言葉ではそのような言外の意味などに頼ることはできません。したがって、書いてあることだけで、相手に正確に意図を伝えなければなりません。

●書き手の意図を読み取る

　書き手は文法を正確に用いて、自分の気持ちや考えを伝えようとします。読み手も、書き手が用いた文法に従って、それらを正確に読み取る必要があります。そのために、文法についての正しい知識と理解が求められるのです。特に論理的な文章では、文ごとに意味を正確に読み取らなければ、逆の内容に誤解してしまう可能性もあります。たとえば、① be now used often（いま、よく使われている）と ② be now used less often（いまは、以前ほど使われていない）では、主語に来るものが ① 頻繁に使われているのか、② 使われていないのかが反対になってしまいます。

　文の表す意味を読み取るには、副詞や書き手の意図を表す助動詞などが重要になります。それぞれは、文全体からみると些細なものに思われますが、先ほどの例のように読み落とすと文全体が反対の意味になってしまうこともありますので、十分に注意することが必要です。幸いなことに、副詞や助動詞の数や種類は、名詞や動詞に比べると多くはありません。副詞では、特に文意が変わりやすい、否定に関するものを中心におさえておくとよいでしょう。また、助動詞は話し手の判断に関するもの（may や must, should など）をおさえておくとよいでしょう。細かい使い分けも含めて、網羅的に理解しておきましょう。

●文のつながりを読み取る

　書き手の意図が込められた文は、一定の働きを期待されて文章内に配置されています。文章は、ただ複数の文が並べられたものではなく、それぞれの文がもっとも効果的な働きを果たすように構成されています。その文の構成を理解する鍵となるのが論理であり、文章の論理構造を読み解くには、接続詞の理解が必要となります。しかし、接続詞を理解しているというのは、and や but が、「そして」や「しかし」の意味であると知っていることではありません。なぜ、そのような接続詞が用いられているのかを理解していなければなりません。

1. TOEFL ITP に必要な語彙と文法知識

　文と文のつなぎ方にはさまざまな方法がありますが、重要なのは、接続詞によってつながれるものどうしの関係を理解することです。文の関係は、つながれる文どうしが独立してもよい場合（等位接続：and や but, or など）と、そうでない場合（従属接続）の2つに分けられることを理解しておきましょう。従属接続は、ある文の「条件」をもう一方の文（節）が示したり（if や supposing, in case など）、ある文を「補足」したり（though や even if, while など）する関係であり、条件を示したり、補足したりする文はもう一方の文がなければ、意味をなしません。

　したがって、文章の主題を把握するには、文どうしの関係を追っていけば理解しやすくなります。また、従属接続によってつながれているときは、接続詞によって導かれる内容がどのような働きを担っているかを理解することが重要になります。

　ここまでみてきたように、文法とはたんに文法問題を解くためだけのものではありません。英語をすばやく理解し、正確に内容を把握するために必要不可欠なものなのです。個々の文法項目や語法を学ぶ際には、それらが文法全体のなかでどのような位置づけや役割を果たしているのかを考えることが重要です。TOEFL ITP では扱われませんが、スピーキングやライティングのときにも、これらの知識を活かしていかなければなりません。そのためにも、文法と語法の丸暗記から脱却し、実際の使用場面を意識した、使える文法知識を身につけるように心がけてください。

コラム：直読直解のための「意味順」のすすめ

　文法の定義はさまざまですが、ここでは英語を使うためのルールと捉えておきます。このルールがなければ、だれも英語を話したり、理解したりすることはできません。次の例文を見てください。

The students in the computer room moved a big table into the corridor before the conference started.

それでは、次のような区切り（スラッシュ /）を入れて、この文の意味を理解してみてください。

The students in the computer room / moved / a big table / into the corridor / before the conference started.

コンピュータ室の生徒たちは / 運んだ / 大きなテーブルを / 廊下に / その会議が始まる前に

実は、こうした区切り方ができるのも私たちの頭のなかに文法知識があるからです。

では次に、例文のそれぞれのまとまりに注目してみましょう。

この文は、

The students in the computer room ＝ 主語
moved ＝ 動詞
a big table ＝ 目的語
into the corridor ＝ 場所
before the conference started ＝ 時間

となり、「主語＋動詞＋目的語＋場所＋時間」から構成されています。

つまり、意味の観点からみると、「だれが＋する［です］＋だれ・なに＋どこ＋いつ」の順に並んでいることがわかります。こうした「意味のまとまり」の順序を「意味順」と呼びましょう。この意味順を参考にして、語句を並べると意味の伝わる文をつくることができます。

また、意味順は英文を理解する場合にも便利です。たとえば、会話の相手が I live ... と言ったとしましょう。そうすると、次には「どこに？」（つまり場所）が続くことは容易に予想がつきます。

1. TOEFL ITPに必要な語彙と文法知識

次のような場合も同様です。

I met ...　なら、「だれに？」(「どこで？」「いつ？」)
I gave ...　なら、「だれに？」「なにを？」
I put ...　　なら、「なにを？」「どこに？」

こうした発想、いわゆるツッコミが可能となるのも意味順の枠組みが用意されているからです。この発想は前に戻ることのできないリスニングのみならず、リーディングで求められる直読直解にも役立ちます。

この意味順（語順）を横軸と捉えて、その他の文法項目を縦軸として分けて整理すると、各文法項目の位置づけや項目間の関連性も理解しやすくなるでしょう。これをまとめたものが次の「意味順マップ」です。

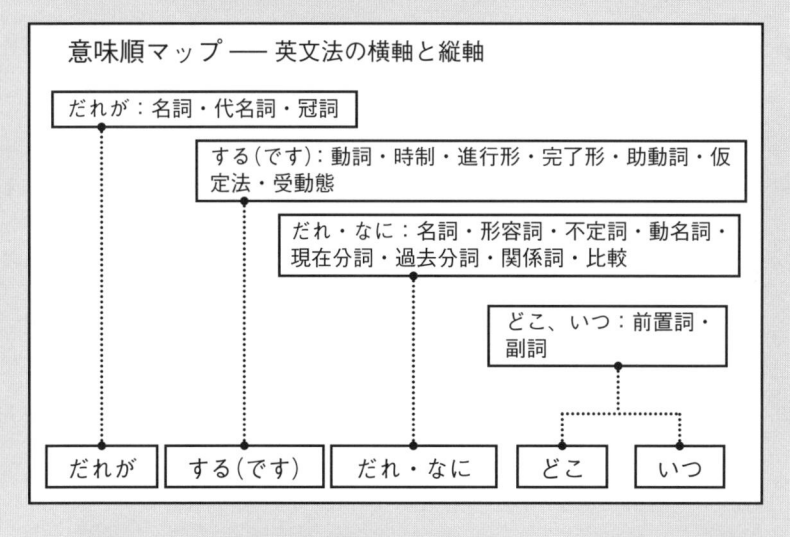

```
意味順マップ ── 英文法の横軸と縦軸

  だれが：名詞・代名詞・冠詞
    する(です)：動詞・時制・進行形・完了形・助動詞・仮
    定法・受動態
      だれ・なに：名詞・形容詞・不定詞・動名詞・
      現在分詞・過去分詞・関係詞・比較
        どこ、いつ：前置詞・
        副詞

  だれが    する(です)    だれ・なに    どこ    いつ
```

この意味順マップを英文法の見取り図として手元に置きながら、自分の苦手な文法項目について理解を深めてください。

参考：『〈意味順〉英作文のすすめ』（岩波書店）、『「意味順」英語学習法』（ディスカヴァー・トゥエンティワン）

2. 英語の技能別学習法

1 受容技能（リスニングとリーディング）の育成に向けて

リスニング技能およびリーディング技能を伸ばすには、英語に慣れることがもっとも重要です。問題は、どのようにすれば英語に慣れることができるのかということです。ここでは、効果的な学習法として、音読、パラレル・リーディング、シャドウイングを中心に紹介します。

2 リスニング

■ なぜリスニングは難しいのか

リスニングは、4技能（聞く・読む・話す・書く）のなかで、「読む」（リーディング）と同様に、受容技能として捉えることができます。しかし、決して「受動的」な活動ではありません。むしろ、場面や状況、文脈にもとづいて音声情報を処理し、意味を理解しようとする「能動的」な活動であると言えます。

では、どうしてリスニングは難しいのでしょうか。原因にはさまざまなことが考えられますが、日本人学習者にとっては ① 語彙知識、② 文法知識、③ 音声の聞き取り、が大きな問題としてあげられます。特に、音声の聞き取りについては、/l/ と /r/ の音の識別ができない、"an apple" が〈アン アプル〉ではなく、〈アネアポウ〉と発音されるように、語と語のつながりによる音の変化を理解できない、速いスピードや、強勢（アクセント）、リズム、イントネーションに対応できないといったことなどが原因として考えられます。

■ リスニング力を伸ばす方法とは

上記の ①〜③ のうち、① 語彙知識と ② 文法知識の問題についてはすでに

2. 英語の技能別学習法

紹介しましたので、ここでは ③ 音声の聞き取りを扱います。音声を正しく聞き取るための有効な学習法を 1 つ紹介しましょう。

英語の音声の特徴や速さ、アクセントやリズム、イントネーションに慣れるには、多量の音声を聞くことが必要です。しかし、たんに音声だけを何時間も聞き続けるというのは決して容易なことではありません（きっと眠くなってしまいます）。

そこで、速い音声に無理なく慣れるための方法として、ここで紹介するのが、「**聞くために口に出す**」という学習方法です。

学習に使用する題材は、過度に専門的でない、TOEFL ITP で扱われるような、客観性が高く、論理的な話題を扱った新聞やニュース記事がよいでしょう。最初は数行程度（30～50 語程度）のパラグラフ（段落）の文章とその音声を用意します。初級の学習者には和訳があればさらによいでしょう。

実際の手順は、次のとおりです。

1) 和訳を通した内容理解（1 分程度）
2) 音読（3～5 回）
3) パラレル・リーディング（3～5 回）
4) シャドウイング（3～5 回）
5) リスニング（1～2 回）

（この手順は、あくまで一例です。個人差があるので、時間や回数については各自で調節してください）

まず、和訳の確認では、パラグラフの大意を理解します。なお、このとき、文中に未知語があれば確認しておきましょう。次に、音読を行う前に、意味のまとまりを意識して、そのまとまりごとに区切りのスラッシュを入れます。その後、一度音声を聞き、音声の切れ目に別のスラッシュを入れます。初めは意味のまとまりのスラッシュの位置と音声の切れ目のスラッシュの位置が異なるかもしれませんが、音声に合わせたスラッシュを基準にして比べてみ

ます。自分で入れた意味のまとまりのスラッシュと音声の切れ目のスラッシュの重なる部分が多いほど、より自然な英語の読み方に近い意味の取り方ができていると言えます。

パラレル・リーディングとは、音声を聞きながらテキストを見て音読する読み方のことです。まずは発音の良し悪しよりも、音声のスピードに遅れずについていくことが大切です。

シャドウイングは音声を聞きながら、聞こえたとおりに少し遅れて自分で発音することです。シャドウイングには、音声面を重視したシャドウイング（プロソディ・シャドウイング）と、意味内容に注意しながら行うシャドウイング（コンテンツ・シャドウイング）があります。プロソディ・シャドウイングは、音声のリズムやイントネーションに注意しながら、英語の発音にできるだけ近づけるように声を出します。一方、コンテンツ・シャドウイングでは発音だけでなく、語順や文法などを意識して、文の内容を考えながら声を出します。最初はプロソディ・シャドウイングの練習から始めるのがよいでしょう。慣れてきて少し余裕が出てきた段階で、意味を取りながら行うコンテンツ・シャドウイングを試してみてください。

最後にまとめとして、リスニングを行います。聞こえた順番どおりに内容を理解するようにしてみましょう。

こうした練習を、さまざまな題材を使って、何度も行ってみましょう。毎日練習すれば、多くの場合、最初はついていけないほど速いと感じた音声にも次第に対応できるようになります。

３ リーディング

■ なぜリーディングは難しいのか

リーディングも受容技能と言われますが、実際は読み手が自らもっている背景知識を活性化させ、書き手の意図を予測し、内容を積極的に理解しよう

2. 英語の技能別学習法

とするプロセスです。つまり、リーディングは、文章を通して行われる、書き手と読み手のコミュニケーションなのです。

さて、それでは日本人学習者にとってなぜリーディングは難しいのでしょうか。それは、リーディングには多様な目的があり、それぞれに対応した方略の習得が求められるからです。

TOEFL ITPのリーディングでは、各設問の内容からもわかるように、What（なに）やWhy（なぜ）を問う問題が多いので、そうした情報をすばやく本文から探し出し、それぞれの情報を正しく統合し、大意を把握する読み方が必要です。そのため、それぞれの目的に合わせたリーディング方略が求められます。

さらに、同テストでは時間的制約があるため、読むスピードの向上も求められます。つまり、TOEFL ITPをはじめ、TOEFL®テストでは、こうした多様な目的に合わせた読み方を、限られた時間内で行うことが要求されているのです。それぞれのリーディング方略の習得と、リーディングの速度が鍵なのです。

■ リーディング力を伸ばす方法とは

リーディングにおいても、リスニングの場合と同様に、文章理解のための語彙知識と文法知識が求められます。それにくわえ、文意を前から理解していくスキルが重要です。英文和訳の方法としてよく見受けられるような、後ろから訳し上げるような方法では、なかなか時間内に読み終えることはできません。もちろん文の理解のみならず、各段落の主旨や、段落間のつながりの理解も必要です。こうしたことも含めて、英文の構造や論理の流れに慣れることが重要です。

英文に慣れるためのリーディングとしては、リスニングの項で紹介した音読やシャドウイングにくわえ、多読も効果的でしょう。多読とは、大意把握をおもな目的とし、とにかく大量に英文を読むことです。みなさんの興味・関心や語彙レベルを考慮して、使用する題材を選択してください。多読の方

法としては、全体的な流れをつかみ、大意を読み取るためのスキミングをしながら、黙読するというのが一般的です。スキミングでは、文章のテーマやトピックを読み取るために、文章の流れや構造を意識しながら読むことが大切です。他方、文章中から重要な部分を探し出し、特定の必要な情報をすばやく読み取るスキャニングと呼ばれる読み方もあわせて練習するとよいでしょう。

英語母語話者の平均的なリーディングのスピードは文章の内容によっても異なりますが、1分間に200〜300語程度と言われています。TOEFL ITPのリーディングにおいても、少しでもこのレベルに近づけるようなトレーニングが必要です（目安として1分間に150語程度のスピードで読むことを当面の目標にするとよいでしょう）。

速く読むためには、和訳の際に用いられるような返り読みでは間に合いません。句や節といった意味のまとまりごとに、前から理解していくことで、読むスピードもあがり、スムーズに読んでいくことができるのです。

最後に、学習に使用する題材の選択に際して、興味やレベルも重要ですが、TOEFL ITPが対象とするテーマを扱ったものを選ぶことが大切です。読み手の背景知識が内在化したものをスキーマと呼びますが、リーディングの際に、こうしたスキーマの活性化により、文章の理解が容易になることがあるからです。たとえば、アメリカの歴史についての文章なら、世界史の授業で習った内容を思い出して考えると、文章の理解も容易になるでしょう。こうした意味でも、TOEFL ITPを受験するみなさんは、TOEFL® テストが対象とする学術目的の英語（EAP）を扱った題材にたくさん触れることで、幅広い学術分野の基礎知識を身につけるように努力しましょう。

3. 各セクションの問題例と解説

ここからは、TOEFL ITP 用の練習問題として公開されている Practice Test を用いて、各セクションの問題の特徴と解き方について解説していきます。

1 Section 1：Listening Comprehension （リスニング問題）

リスニングセクションは3つのパート（Part A～C）からなり、約35分間で全50問に解答します。Part A は30問あり、短い会話の音声を聞いて、問題冊子に記載されている選択肢から正解を選びます。Part B は比較的長い会話を聞いて、8問の設問に答えます。Part C はやや短めの話（講義）を聞いて、12問の設問に解答します。

なお、問題用紙や解答用紙にはメモや書き込みをしてはいけないことになっています。

リスニングセクションの Part A と Part B は会話文ですので、特に音の変化やイントネーション、ポーズに注意しながら話者の意図を理解するようにしましょう。Part C で出題される講義を想定した問題では、元となるスクリプトが、複数のパラグラフ（段落）から構成されているのが一般的です。各パラグラフはそれぞれまとまった内容をもっていますので、大事なことは段落ごとの要旨を理解することです。そのためには、パラグラフの区切りとなるようなサインを聞き逃さないようにしましょう。ポーズやイントネーションに注意します。

全体としては、これらの音声面に留意しながら、情報の要素である 5W1H に対応した語句を意識して、そこから場面や状況を思い浮かべながら聞くようにしましょう。

では Practice Test に挑戦してみましょう。

■ Part A

1. (Track No. 05)

(A) A two-bedroom apartment may be too expensive.

(B) The woman should not move off campus.

(C) The woman should pay the rent by check.

(D) The university has a list of rental properties.

2. (Track No. 06)

(A) Talk to Dr. Boyd about an assignment.

(B) Return their books to the library.

(C) Meet Dr. Boyd at the library.

(D) Make an appointment with their teacher on Friday.

3. (Track No. 07)

(A) The man has to sign his name.

(B) The woman will give the man an information kit.

(C) The woman can't find the list.

(D) The man has already paid to attend the conference.

4. (Track No. 08)

(A) The woman should avoid getting cold.

(B) It's easy to get sick in cold weather.

(C) The woman should get more rest.

(D) Dressing warmly can prevent illness.

3. 各セクションの問題例と解説

■ Part A 解法・解説

1. ・正解・ (**D**)

・スクリプト・

W: My lease is about to expire and I've decided to get a larger place. Do you know of any two-bedroom apartments for rent?
M: Have you checked the off-campus listings at the housing office?
Q: What does the man imply?

・訳 例・

女性：部屋の契約が切れるところだから、もっと大きいところを借りることにしたの。寝室が2つある賃貸アパートをどこか知らない？
男性：住宅課の学外物件のリストをチェックした？
質問：男性は暗に何を言っていますか？

(A) 寝室が2つあるアパートは高すぎるかもしれない。
(B) 女性は学外に引っ越すべきでない。
(C) 女性は家賃を小切手で支払うべきだ。
(D) 大学に賃貸物件のリストがある。

・解 説・

これは話し手の意図を汲む問題です。男性は、"Have you checked..." という形で、大学の "housing office"（住宅課）に問い合わせたかどうかを女性に確認することで、遠回しに "housing office" へ行くことを勧めているので、(D) が正解です。欧米の大学では、"housing office" といって学生に居住先を斡旋する課が設けられている場合が多くあります。

2. ・正解・ (**A**)

・スクリプト・

M: I've spent the whole morning at the library... looking for the information we need — you know — for the assignment that's due

Friday?
W: I'm stuck, too. Maybe Dr. Boyd will have some suggestions.
Q: What will the speakers probably do?

・訳 例・

男性：午前中ずっと図書館で過ごしたよ……必要な情報を探して。ほら、例の金曜日に提出するあの課題に必要な。
女性：私もお手上げよ。もしかして、ボイド先生が何かアドバイスしてくれるかも。
質問：話し手たちはおそらく何をするでしょうか？
(A) 課題についてボイド先生に話をする。
(B) 図書館に本を返却する。
(C) 図書館でボイド先生に会う。
(D) 金曜日に先生と面会の約束をする。

・解 説・

これは、話し手の次の行動を予測する問題です。「金曜に提出する課題の資料を午前中ずっと探している」という男性に対し、女性は「ボイド先生が何かアドバイスしてくれるかもしれない」と応じているので、(A) が正解です。(C) の図書館で会うことや、(D) の金曜日に先生と会うことは話題にされていません。"you know" は、会話によく現われるフレーズで調子を整える役割を果たしています。日本語での、「えっと」や「ほら」ぐらいのニュアンスで用いられています。

3. ・正 解・ (D)

・スクリプト・

M: Could you please check the list again? I sent in my registration application and fees for the conference last month.
W: Let me... oh, you did. Yes, here's your name. O.K. You can go ahead to the next table for your information kit.
Q: What can be inferred from the conversation?

3. 各セクションの問題例と解説

・訳 例・

男性: もう一度、リストを調べていただけますか。先月、会議の登録申請書と参加費を送っています。

女性: ええっと……　ああ、いただいています。はい、ここにお名前があります。では、次のテーブルに進んで、資料セットを受け取ってください。

質問: 会話から何を推測できますか？

(A) 男性は名前をサインしなければならない。
(B) 女性が男性に資料セットを渡すだろう。
(C) 女性はリストを見つけられない。
(D) 男性は会議の参加費をすでに支払っている。

・解 説・

これは会話の状況を捉える問題です。会話は、学会の受付でのやり取りを示しています。女性の発言の "did" は男性の "I sent in my registration application and fees for the conference last month."（先月、会議の登録申請書と参加費を送っています）という発言を受けて、それを確認していますので、(D) が正解です。

4. ・正 解・ (C)

・スクリプト・

W: I can't seem to shake this cold.
M: Sometimes the only thing that helps is taking it easy.
Q: What does the man mean?

・訳 例・

女性: 風邪が抜けそうにないの。
男性: ときには、ゆっくりするしか手がないってこともあるからね。
質問: 男性は何を意味していますか？

(A) 女性は風邪をひかないようにすべきだ。
(B) 寒い天気のときは病気になりやすい。

(C) 女性はもっと休息を取るべきだ。
(D) 暖かい服装をすることで、病気を防ぐことができる。

・解　説・

　これはイディオムの理解を問う問題です。"I can't seem to shake this cold." の "cold" は風邪の意味で、「風邪が抜けそうにない」という意味になります。また、男性は "taking it easy" で「無茶をするな」と安静にすることを勧めているので、(C) が正解です。

■ Part B

Questions 1-4 (Track No. 09)

1. (Track No. 10)

(A) To get help in finding a new college.
(B) To change his major.
(C) To fill out an application for college.
(D) To find out how to change dormitories.

2. (Track No. 11)

(A) A small school does not offer a wide range of courses.
(B) His tuition will not be refunded.
(C) Changing majors involves a lot of paperwork.
(D) He may not be able to transfer all his credits.

3. (Track No. 12)

(A) He doesn't like his professors.
(B) His classes are too difficult.
(C) He can't transfer his credits from his previous school.
(D) He doesn't get along with his roommate.

4. (Track No. 13)

(A) The registrar's office.
(B) The admissions office.
(C) The housing office.
(D) The math department.

■ Part B 解法・解説

Questions 1–4

・スクリプト・

N: Listen to a conversation between a college student and his counselor.

W: Good morning, Steve. What can I do for you?
M: Well, I've decided I want to transfer to a smaller college.
W: I know you've had a rough time adjusting, Steve, but I'm sorry to hear you want to leave.
M: What I need to do now is find a new college and I was hoping you might have some ideas.
W: I might, but first I think I ought to warn you about some of the potential problems with transferring. The main one is how many of your credits will be accepted by your new college.
M: You mean they won't all be transferable?
W: Not necessarily. It'll depend on what courses you've taken here and how they fit in with the requirements at the other school. So whatever college you choose, be sure to find out about transferring your credits.
M: Who would I talk to about something like that?
W: First check with the admissions officer, then follow up with the registrar's office. Now… the other thing I wanted to caution you

about is thinking that a transfer will solve all your problems.
M: I'm not sure I understand what you mean.
W: Well, I know you haven't been happy this semester, but are you sure changing colleges is going to be the answer?
M: Uhh... I like my classes, except for composition. The math department is everything I expected it to be, but... maybe if my roommate and I had hit it off better... that's really bothering me more than anything else.
W: Really? Did you talk to someone at the residence office? It might be that changing roommates would make all the difference.
M: I might just do that!

・訳　例・

ナレーション： 大学生とカウンセラーとの会話を聞きなさい。

女性： おはよう、スティーブ。どうしたの？
男性： ええ実は、もっと小さい大学に移ろうと、決めたんです。
女性： あなたがここに慣れるのに苦労していることは知っていたけど、スティーブ、でも、ここを離れたいと聞いて、残念だわ。
男性： 僕がいましなきゃいけないのは新しい大学を見つけることで、だから何かアイディアをご存じだったらと思いまして。
女性： なくはないけど、でも、転学に関して問題があるかもしれないから、いくつか話をしておかなければいけないと思うわ。大事なのは、あなたの単位が新しい大学にどれだけ受け入れてもらえるかということね。
男性： つまり、全部を移せるわけではないということですか？
女性： そうね。あなたがここでどんな授業を取ったか、そして、それが次の大学の求める条件にどう当てはまるかによって決まるの。だから、どの大学を選ぶにしても、単位の互換についてはかならず確かめておくのよ。
男性： そういうことは、だれに聞いたらいいんでしょうか？
女性： まず入学事務係に確認して。次は教務課で聞いてみてね。さて……もうひとつ、私が注意しておきたかったのは、転学で自分の問題がすべて解決すると考えることよ。

3. 各セクションの問題例と解説

男性：おっしゃることがよくわからないのですが。
女性：つまりね、あなたが今学期、楽しくなかったのはわかるけど、でも、大学を変えることがその解決策になると、本当にそう思う？
男性：うーん……授業は好きです、作文以外は。数学科は何もかも期待どおりですし、でも……たぶん、もしルームメイトともっとうまくいっていれば……それがほかの何よりも本当に困っているんです。
女性：そうなの？　住宅課のだれかに話してみた？　ひょっとすると、ルームメイトを変えれば、状況が一変するかもしれないわ。
男性：そうしてみます！

1. ・正解・　(**A**)

・スクリプト・

Why does Steve visit the counselor?

・訳　例・

スティーブは、なぜカウンセラーを訪ねていますか？
　　(A) 新しい大学を見つけるのに助けを得るため
　　(B) 専攻を変えるため
　　(C) 大学の入学願書に記入するため
　　(D) 寮を変える方法を調べるため

・解　説・

　会話の主旨を問う問題です。男性は、会話の冒頭で "I've decided I want to transfer to a smaller college"（もっと小さい大学に移ろうと、決めたんです）と、別の大学に編入する意思を示しています。そのうえで、"I was hoping you might have some ideas"（何かアイディアをご存じだったらと思いまして）と、カウンセラーの女性にアイディアを求めていることがわかります。ですので、(A) が正解です。

2. ・正解・　(**D**)

・スクリプト・

What is one possible problem the counselor points out to Steve?

スコア UP に向けた学習法

・訳 例・

カウンセラーがスティーブに指摘している、起こりうる問題のひとつは何ですか？

(A) 小さい学校は幅広いコースを提供しない。
(B) 彼の授業料は払い戻されないだろう。
(C) 専攻の変更は、多くの書類作業を伴う。
(D) 彼は単位のすべてを移せないかもしれない。

・解 説・

会話から話し手が抱えている問題点を聞き取る問題です。キャンパス内での会話の問題では、多くの場合、話し手のどちらかがトラブルを抱えています。この会話では男性がトラブルを抱えています。女性が、"The main one is how many of your credits will be accepted by your new college." (大事なのは、あなたの単位が新しい大学にどれだけ受け入れてもらえるかということね) とその問題点を指摘しているので、(D) が正解です。

3. ・正 解・ (D)

・スクリプト・

What is Steve's main problem in adjusting to his college?

・訳 例・

スティーブが大学に慣れるうえで主に問題となっていたのは何ですか？

(A) 彼は先生たちが好きでない。
(B) 彼の取っている授業が難しすぎる。
(C) 彼は前の学校から単位を移せない。
(D) 彼はルームメイトとうまくいっていない。

・解 説・

会話の詳細を尋ねる問題です。男性は、カウンセラーに対して "maybe if my roommate and I had hit it off better... that's really bothering me more than anything else." (たぶん、もしルームメイトともっとうまくいっていれば……それがほかの何よりも本当に困っているんです) と述べているので、(D) が正解です。

4. ・正解・ (C)

・スクリプト・

Where will Steve probably go to get his problem solved?

・訳 例・

スティーブは、問題を解決してもらうために、おそらくどこへ行くでしょうか？

(A) 教務課
(B) 入試事務課
(C) 学生寮課
(D) 数学科

・解 説・

　会話の内容から、話し手の次の行動を推測する問題です。女性の "Did you talk to someone at the residence office?"（住宅課のだれかに話してみた？）という質問に対し、男性は "I might just do that!"（そうしてみます！）と答えているので、住居に関係のある (C) が正解です。

■ Part C

Questions 1–4　Track No. 14

1. Track No. 15

(A) The properties of quartz crystals.
(B) A method of identifying minerals.
(C) The life of Friedrich Mohs.

(D) A famous collection of minerals.

2. (Track No. 16)

(A) Its estimated value.

(B) Its crystalline structure.

(C) Its chemical composition.

(D) Its relative hardness.

3. (Track No. 17)

(A) Collect some minerals as homework.

(B) Identify the tools he is using.

(C) Apply the information given in the talk.

(D) Pass their papers to the front of the room.

4. (Track No. 18)

(A) When it is scratched in different directions.

(B) When greater pressure is applied.

(C) When its surface is scratched too frequently.

(D) When the tester uses the wrong tools.

■ Part C　解法・解説

Questions 1–4

・スクリプト・

N: Listen to a lecture in an Earth Science class.

M: Today I'd like to explain the Moh's scale, used in what is called the "scratch test."

3. 各セクションの問題例と解説

This scale is based on the simple fact that harder minerals scratch softer ones. For example, a diamond scratches glass, but glass doesn't scratch a diamond; a quartz crystal can scratch a feldspar crystal, but not the other way around.

The scale is named for Friedrich Mohs, the mineralogist who devised it in 1812. His scale spans the range of minerals known at that time, from the softest to the hardest. By performing a scratch test using known minerals and a few common tools, an unidentified mineral sample can be placed between two points on the scale. By referring to the scale, the mineral can then be identified.

I have here a collection of the minerals included on the Mohs' scale, as well as the tools necessary to complete this exercise. I'd like you each to take a mineral sample from the basket at the front of the room and classify it according to its place on the Mohs' scale. First, however, I should give you a little warning. The hardness of any mineral depends on the strength of the bonds between ions or between atoms — the stronger the bond, the harder the mineral. Because bond strength may differ in various angles of a crystal, the hardness may vary slightly depending on the direction in which the mineral sample is scratched, so be sure to scratch each sample in several different directions.

・訳 例・

ナレーション：地球科学の授業での講義を聞きなさい。

男性：今日はモース硬度について説明します。「スクラッチ・テスト」と呼ばれるテストで使われる尺度です。
　　この尺度は、より固い鉱物はそれより柔らかい鉱物を傷つけるという簡単な事実にもとづいています。たとえば、ダイヤモンドはガラスに傷をつけますが、ガラスはダイヤモンドを傷つけません。石英の結晶は長石の結晶を傷つけることができますが、その逆はありません。
　　この尺度は、1812年にこれを考案したフリードリヒ・モースとい

う鉱物学者の名前から名づけられています。彼の尺度は、当時知られていた鉱物のもっとも柔らかいものからもっとも固いものにまで及んでいます。既知の鉱物といくつかの一般的な道具を使ってスクラッチ・テストを行うことにより、まだ同定されていない鉱物サンプルがこの尺度上の 2 つの点の間に位置づけられます。この尺度を参照することにより、鉱物が同定できるのです。

　ここにモース硬度に含まれる鉱物のセットを、この実験を行うために必要な道具といっしょに用意しています。教室の前のほうのかごから各自で鉱物のサンプルを取り、モース硬度上の位置にしたがって分類してください。でも、その前にみなさんにちょっと注意することがあります。鉱物の硬度は、イオン間または原子間の結合の強さに左右されます。結合が強いほど、鉱物は固くなります。結合の強さは、結晶の角度によって違ってくるので、鉱物のサンプルが引っ掻かれる方向によって、多少硬度が変わることがあります。ですから、各サンプルをかならずいくつかの異なる方向に引っ掻くようにしてください。

1.　・正 解・　(B)

・スクリプト・

What is the lecture mainly about?

・訳　例・

講義はおもに何についてですか？

　(A) 水晶の結晶の特性
　(B) 鉱物を同定する一方法
　(C) フリードリヒ・モースの生涯
　(D) 有名な鉱物コレクション

・解　説・

　講義の主旨を問う問題です。主題は話の冒頭で提示される場合が多く、冒頭の "Today I'd like to explain the Mohs' scale, used in what is called the 'scratch test.'"（今日はモース硬度について説明します。「スクラッチ・テスト」と呼ばれるテストで使われる尺度です）から、この講義のトピックは

3. 各セクションの問題例と解説

「モース硬度」であることがわかります。講義の中盤で "By referring to the scale, the mineral can then be identified." (この尺度を参照することにより、鉱物が同定できるのです) と述べられているので、(B) が正解です。なお、then の位置が文の途中に移動しているので、聞き取りには注意が必要です。

2. ・正解・ (D)

・スクリプト・
What aspect of a mineral is the Mohs' scale used to identify?

・訳 例・
モース硬度は、鉱物のどの側面を特定するために使われますか？
　　(A) その推定価値
　　(B) その結晶構造
　　(C) その化学組成
　　(D) その相対的硬度

・解 説・
講義の詳細を問う問題です。"His scale spans the range of minerals known at that time, from the softest to the hardest." (彼の尺度は、当時知られていた鉱物のもっとも柔らかいものからもっとも固いものにまで及んでいます) と鉱物の硬軟について述べられているので、(D) が正解です。

3. ・正解・ (C)

・スクリプト・
What does the teacher ask the class to do?

・訳 例・
教師は学生に何をするように求めていますか？
　　(A) 宿題としていくつかの鉱物を集める。
　　(B) 彼の使っている道具を見分ける。

(C) 話のなかで与えられた情報を応用する。
(D) 彼らのレポートを教室の前のほうに回す。

・解 説・

講義の詳細を問う問題です。"I'd like you each to take a mineral sample from the basket at the front of the room and classify it according to its place on the Mohs' scale."（教室の前のほうのかごから各自で鉱物のサンプルを取り、モース硬度上の位置にしたがって分類してください）と述べられているので、(C) が正解です。

4. ・正 解・ (A)

・スクリプト・

According to the teacher, when might the hardness of the same mineral seem to vary?

・訳 例・

教師によると、どのようなときに同じ鉱物の硬度が変わることがありますか？
　　(A) 異なる方向に引っ掻かれるとき
　　(B) より大きな圧力がかけられるとき
　　(C) その表面があまりに何度も引っ掻かれるとき
　　(D) 試験者が誤った道具を使うとき

・解 説・

講義の詳細を問う問題です。"Because bond strength may differ in various angles of a crystal, the hardness may vary slightly depending on the direction in which the mineral sample is scratched, so be sure to scratch each sample in several different directions."（結合の強さは、結晶の角度によって違ってくるので、鉱物のサンプルが引っ掻かれる方向によって、多少硬度が変わることがあります。ですから、各サンプルをかならずいくつかの異なる方向に引っ

掻くようにしてください）と述べられているので、(A)が正解です。

学習アドバイス

(1) 音の変化やイントネーション、ポーズに注意する。
　スクリプトを見ながら音声を聞くことによって、音の変化やイントネーションに慣れるようにしてください。そのためには、先に紹介したパラレル・リーディングやシャドウイングでの練習が効果的です。

(2) 5W1H に対応した語句を意識しながら場面や状況をイメージする。
　意味のまとまりやその順序を意識しながら、前から聞こえた順に意味を取っていきます。同時に次に来る内容を予測することが重要です。

(3) 毎日継続して英語を耳にする。
　リスニング力を上げるには、できるだけ英語に接する機会を増やすことが必要です。インターネット上で紹介されているニュースのなかには無料で音声とスクリプトが入手できるものもあるので、こういったものを教材として活用するとよいでしょう（例: **Voice of America, BBC Learning English**）。

2　Section 2：Structure and Written Expression（文法問題）

　文法セクションは Structure と Written Expression の 2 つのパートからなり、25 分間で全 40 問に解答します。Structure は 15 問あり、空欄に適する選択肢を選んで文を完成させます。Written Expression は 25 問あり、文中にある 4 つの下線部のなかから、文法的に不適切なものを選びます。
　文法セクションでは、英文の骨格の要である「主語＋動詞」を見極めるこ

とが大事です。特に主節の動詞を意識しましょう。

　出題される文法項目については、大学受験参考書に掲載されているものと大きく変わりません。たとえば、文の構造、関係詞、不定詞、比較、並列構造などの基本的な文法項目について問われます。したがって、日本人英語学習者にとっては高得点の狙えるセクションと言えるでしょう。

　では Practice Test から、代表的な問題をみていきましょう。

■ Structure

1. 文の基本構造

    ------- position of the planet Earth in relation to the Sun is always changing a little bit.

    (A)　The
    (B)　That the
    (C)　It was the
    (D)　There was a

    ・正　解・　(A)

    ・訳　例・　太陽との関係における地球の位置は絶えずわずかに変化している。

    ・解　説・

    　空欄を除くと、文の中で動詞は "is always changing" だけですから、その前の部分が主部ということになります。一見、"is always changing" の前にある "the Sun" が主語のようにもみえますが、これには前置詞の "to" がついているので、主語ではありません。"of the planet Earth in relation to the Sun" で "position" を修飾しています。したがって、"position" を主語とするために限定の働きのある定冠詞 "the" を選択すればよいことがわかります。

    　一般的に言って、文の構造上、文の最初にある名詞が主語になります。ただし、ここでの例の "the planet Earth" のように、直前に前置詞がある名詞

は前置詞句になり、主語になる要素にはなりません。文構造をみるときには前置詞の有無に注意しましょう。

2. 不定詞

The upper part in a harmonic arrangement ------- by mixed voices is usually written for a soprano voice.

(A) to be sung
(B) as singing
(C) to be singing
(D) was sung

・正解・ (A)

・訳例・ 混声で歌われる和声編曲の高音部は、通常ソプラノの声域のために作曲される。

・解説・

文頭にある "The upper part" が主語で、空欄部を除くと動詞 "is (usually) written" があります。ここで、(D) を選択すると "is usually written" と "was sung" の両方が文の動詞となり、関係詞や接続詞が必要となります。残りの選択肢には動詞がありませんので、文の動詞は "is (usually) written" であり、空欄部は主語を修飾する役割であるとわかります。また、"The upper part" と "by mixed voices" の関係を考えると、"The upper part" は行為者ではなく受身の対象であると考えられます。受身の関係を表すためには不定詞の形容詞的用法の形で、受動態にします。したがって、(A) が適切です。

3. 接続表現

Only a few sounds produced by insects are heard by humans ------- most of the sounds are pitched either too low or too high.

(A) in spite of

(B) because
(C) as a result of
(D) instead of

・正解・ (**B**)

・訳例・ 昆虫の出す音はほとんどが低すぎるか高すぎるので、ヒトにはそのうちのわずかしか聞こえない。

・解説・

　空欄の前後はいずれも節、すなわち「主語＋動詞」を含んでいますので、空欄には接続詞が入ります。選択肢のなかで (A), (C), (D) はいずれも前置詞の働きをもち、名詞や名詞句を導くため不適切です。節を導く接続詞である、(B) because が正しい選択肢となります。

■ Written Expression

1. 並列構造

<u>Early</u> adolescence is a <u>developmental</u> phase consisting of <u>rapid</u>
　A　　　　　　　　　　　　　B　　　　　　　　　　　　　　　C

changes in behavior, <u>psychological,</u> and hormones.
　　　　　　　　　　　　　　D

・正解・ (**D**)

psychological → psychology

・訳例・ 初期青年期は、行動、心理、ホルモンの急速な変化からなる発達段階だ。

・解説・

　(A), (B), (C) ともに形容詞で、直後の名詞を修飾しており、文法上の問題はありません。(D) も形容詞ですが、直後に修飾する名詞がありません。さらに、"changes in behavior" と、"and hormones" の間にコンマを伴って

いるので、"psychological" は "behavior" と "hormones" と 3 つの語が並列していることになります。このとき、並列している語は同じ品詞でなければいけません。したがって、ここは名詞の形が適切です。

　"and" や "or" の直前にコンマを伴う言葉が 2 つ以上あれば、それらの言葉は並列していることになります。並列は名詞に限らず、動詞や形容詞、副詞でも起こりますから、注意が必要です。

2. 関係詞

Patients they suffer from common arthritis can be treated using
　　　　 A　　　　 B　　　　　　　　　　 C
heat, physical therapy, and aspirin.
　D

・正　解・　(**A**)
they → who（または that）

・訳　例・　一般的な関節炎にかかっている患者は、熱や物理療法やアスピリンを用いて治療することができる。

・解　説・

　文頭の "Patients they suffer…" のように、名詞（Patients）の後に、直接「名詞＋動詞」（ここでは "they suffer"）が続く場合、それらの間に目的格の関係代名詞が省略されていることになります。しかし、ここで関係詞が省略されていると仮定すると、"they suffer from common arthritis" のなかに目的語が入る場所がなければいけません。したがって、ここには関係詞の省略はなく、主格の関係詞でつなぐべきであると考えることができます。この場合、先行詞 "patients" に相当する "they" を関係代名詞 "who"（または that）で表せば正しい文になります。

3. 同格

Richard Wright's *Uncle Tom's Children*, a collection of short stories,
                                                              A
were a critical success when it appeared in 1938.
 B   C   D

・正解・ (**B**)

were → was

・訳例・ リチャード・ライトの短編集、***Uncle Tom's Children***（『アンクル・トムの子供たち』）は、1938年に出版されたとき批評家の好評を得た。

・解説・

Richard Wright's *Uncle Tom's Children* という部分が主語で、後ろの "a collection of short stories" はそれを補足する同格表現です。ここでは、動詞 "were" の形は、直前にある名詞（"stories"）によって、一見、正しくみえますが、実際の文の主語は "Richard Wright's *Uncle Tom's Children*" で、これは "a collection" ですので単数であり、was が適切な形です。

同格表現では、コンマで囲まれた挿入句はいったん無視して、文全体の構造を見極めることが英文を正しく理解することにつながります。

学習アドバイス

(1)「主語＋動詞」（だれが/なにが＋する）を意識しながら文を読む。

英語では「主語＋動詞」が文の骨格になります。したがって、学習の際には動詞を中心として語彙を学習するとよいでしょう。『新編英和活用大辞典』（研究社）などを参照して、動詞の活用やコロケーションについての知識を深めてください。

(2) 句と節に着目する。

単語を逐一、日本語に置き換えて考えるのではなく、俯瞰的に文を捉えて、

全体の構造をつかむようにしましょう。そのためには、複数の語がまとまって意味をなす句や節を意識することが大切です。

(3) 大学受験用参考書や問題集で各文法項目を確認する。
　TOEFL ITP を終えた後の TOEFL iBT® の対策も見据えて、ライティングやスピーキングにもつながるように、言語使用の観点から文法を捉えるようにしましょう。ヒントの見え隠れする問題の形だけにとらわれずに、実際に英文を作成することを考えながら、問題に取り組むと効果的です。

3 Section 3：Reading Comprehension（リーディング問題）

　リーディングセクションには5つの大問があり、試験時間は55分ですので、単純に計算すると大問1つあたり11分使えることになります（指示文は前もって理解しているという前提です）。

　そこで、この11分をどのように使うかが鍵となりますが、仮に本文（300語程度）を2回読むとした場合、本文を読むために約5分（例：1回目は大意把握のためのスキミングに2分、2回目は設問に関連した情報を得るためのスキャニングに3分）を使い、設問の10問に解答するために6分程度かけるのが一般的でしょう。設問の内容はこれからみていくように、比較的すぐに解答できる類義語を問う問題から、時間のかかる大意を問う問題まであります。自分に適した時間配分を決めておくことが大切です。

　設問を解く際には、本文と選択肢の内容を比較し、語句や表現の「言い換え」に注意しましょう。本文の題材が異なっても、問われるポイントはかぎられています。設問の内容から、出題の意図を考えて設問を解くように心がけるとポイントがわかるようになります。

　では Practice Test をみていきましょう。

Questions 1–10

Astronomers have long used direct photography to gather large amounts of information from telescopes. To do this, they have special light-sensitive coatings on glass plates, whose size depends on the type of telescope employed. Certain wide-field telescopes commonly required very large glass plates. These plates do not bend, can be measured accurately, and can preserve information over a long period of time, providing a record that an astronomer at a later time can examine. However, even though long time exposures increase the amount of light striking the plate so that very faint objects in the sky eventually show up clearly, even the most sensitive plates convert only a small percent of the photons striking them into an image. For this reason, photography cannot make very efficient use of the short time exposures on a telescope. Despite this inefficiency, photography is still very useful because it works as a two-dimensional detector covering a large area at a telescope's focus. Hence, this information contained in a single photograph can be enormous, especially when the photograph is taken with wide-field telescopes.

Today, the technology of newer radio and x-ray telescopes has allowed astronomers to view images otherwise invisible to the eye, and direct photography is now used less often to gather images. Today's astronomers can study an enhanced view of a telescope's focus on a television monitor; and in most cases, the data can later be converted by computer into digital form. This procedure, called image processing, plays a central role in astronomy today. Using false colors, the computer can display images of information otherwise undetectable to the unaided eye. These colors are false in the sense that they are not the actual colors of the object in the visual range of the spectrum. Rather, they are codes to a specific property, such as the x-ray emissions from stars.

1. What is the main topic of the passage?

(A) The use of false colors in image processing
(B) The use of wide-field telescopes in astronomy
(C) New astronomical theories

(D) Methods used by astronomers to obtain information

2. The word "employed" in line 4 is closest in meaning to
(A) measured
(B) inspected
(C) used
(D) purchased

3. The word "efficient" in line 12 is closest in meaning to
(A) productive
(B) frequent
(C) objective
(D) visible

4. Which of the following is NOT mentioned as an advantage of glass-plate photographs?
(A) They can be measured accurately.
(B) They can capture the images of faint objects.
(C) They can be stored for a long time.
(D) They can be processed quickly.

5. Astronomers most probably use direct photography less frequently today than in the past because
(A) glass plates are no longer available
(B) only a small amount of information is contained in a single photograph
(C) alternate ways of observing images have been developed
(D) photographic data deteriorates quickly

6. What is image processing?

(A) The process of light waves striking a glass plate

(B) A way to produce images more quickly

(C) A reevaluation of old photographs

(D) A way computers can present data for analysis

7. The word "undetectable" in line 25 is closest in meaning to

(A) immense

(B) inferior

(C) imperceptible

(D) intolerable

8. Why do computer-generated images use false colors?

(A) The real objects are too bright to look at.

(B) The computer screens have a limited range of colors.

(C) The properties represented in the image are not otherwise visible.

(D) The colors are used to convert black-and-white photographs.

9. Why does the author mention "x-ray emissions" in line 28?

(A) To discuss the measurement of energy flow

(B) To emphasize the precision of direct photography

(C) To provide an example of what false colors represent

(D) To compare the properties of color and movement

10. Where in the passage does the author mention a disadvantage of photography?

(A) Lines 1–4

(B) Lines 8–12

(C) Lines 20–24
(D) Lines 27–28

■ Section 3: 解法・解説

Questions 1–10

・本文訳例・

　天文学者たちは長年、望遠鏡から膨大な情報を集めるために直接撮影法を使ってきた。これを行うために天文学者は、ガラスプレートに特殊な感光コーティングをする。そのガラスプレートのサイズは使う望遠鏡の種類によって異なっている。ある種の広視野望遠鏡には通常、とても大きなガラスプレートが必要だった。それらのプレートは折り曲がらないし、正確に測定が可能であり、長期間にわたって情報を保存することができるので、後世の天文学者も調べることができる記録を提供してくれるのである。しかし、空にあるごくかすかにしか見えない物体をはっきりと見えるようにするため、長時間露光してプレートに当たる光の量を増やしても、もっとも高感度なプレートですら、プレートに当たる光子のほんのわずかな割合しか画像に変換しない。このため、撮影法は望遠鏡の短時間露光をそれほど効果的には利用できない。このような非効率にもかかわらず、撮影法はいまだに有用である。なぜなら撮影法は、望遠鏡がピントを合わせている広大な範囲をカバーする二次元探知機として機能するからである。したがって、特に写真が広視野望遠鏡を使って撮影されたときには、1枚の写真に含まれる情報は巨大な量になりうる。

　今日では、より新型の電波望遠鏡とX線望遠鏡の技術によって、天文学者たちは肉眼では見ることができない画像を見ることができるようになっており、直接撮影法は、現在、画像を集める手段としては以前ほどは用いられていない。今日の天文学者たちはテレビ画面上で、望遠鏡がピントを合わせた高画質な画像を観察することができる。多くの場合、そのデータは後でコンピュータを用いてデジタル形式に変換することができる。この手続きは画像処理と呼ばれ、今日の天文学において中心的役割を担っている。仮の色を用いることで、コンピュータは肉眼では認識できない情報も画像として表示することができる。そうした色は、光スペクトルの可視領

域における物体の実際の色ではないという意味で「仮」なのである。それらは色というよりは、むしろ星々から放出されるX線のように特定の属性を表す記号なのである。

1. ・正 解・ (D)

・訳 例・

この文章の主題は何か。

(A) 画像処理における仮の色の使用
(B) 天文学における広視野望遠鏡の使用
(C) 新たな天文学理論
(D) 天文学者が情報を得るために用いる方法

・解 説・

本文の主題を問う問題です。第1〜2行目に "Astronomers have long used direct photography to gather large amounts of information from telescopes."（天文学者たちは長年、望遠鏡から膨大な情報を集めるために直接撮影法を使ってきた）とあります。本文では一貫して天文学者が望遠鏡から情報を得るための方法について述べられており、"direct photography" から、コンピュータを使った "image processing" に変わってきたと述べられています。よって、(D) が正解となります。

2. ・正 解・ (C)

・訳 例・

第4行目の "employed" にもっとも意味が近いのはどれか。

(A) 測定される
(B) 検査される
(C) 用いられる
(D) 購入される

・解 説・

類義語選択の問題です。「ガラスのサイズが "employ" される望遠鏡の種類

によって異なっている」とあります。ここで、望遠鏡は撮影するために使われています。そのため、"employed" は「使用されている」という意味になりますので、(C) used が正解となります。

3. ・正解・ (A)

・訳例・

第12行目の "efficient" にもっとも意味が近いのはどれか。

(A) 生産的な
(B) 頻繁な
(C) 客観的な
(D) 可視的な

・解説・

類義語選択の問題です。前の文では "photography" の効率が悪い理由について述べられており、短時間の露光では、あまり役に立たないことがわかります。したがって、「生産的 (ではない)」の意味になる (A) productive が正解です。

4. ・正解・ (D)

・訳例・

ガラスプレート写真の長所について言及されていないのはどれか。

(A) ガラスプレート写真は正確に測定可能である。
(B) ガラスプレート写真はかすかな物体の画像もとらえることができる。
(C) ガラスプレート写真は長期間にわたって保存が可能である。
(D) ガラスプレート写真はすぐに処理が可能である。

・解説・

言及されて「いない」ものを探す問題では、それぞれの選択肢の根拠となる記述をみつけていくことになります。"glass-plate photographs"（ガラスプ

レート写真）の利点を探していくと、(A)「正確に測定可能である」は第5〜6行目 "can be measured accurately" に、(B)「かすかな物体の画像もとらえる」は第9〜10行目 "very faint objects in the sky eventually show up clearly" に、(C)「長期間にわたって保存が可能である」は第6行目 "can preserve information over a long period of time" にそれぞれ記述があります。(D)の「すぐに処理が可能である」はありません。よって答えは(D)となります。

5. ・正解・ (C)

・訳例・

天文学者が現在では、おそらく昔ほど直接撮影法を頻繁に用いなくなった理由はどれか。

 (A) ガラスプレートがもはや入手できないから
 (B) 1枚の写真には少しの情報しか入らないから
 (C) 画像を観察する新たな方法が開発されてきたから
 (D) 写真データはすぐに劣化するから

・解説・

 本文中の記述から理由を考える問題です。現在の天文学者たちが昔ほど "direct photography"（直接撮影法）を使わなくなった理由を考えます。現在の天文学者について言及されているのは第2パラグラフです。第2パラグラフの第19〜20行目を見ると "direct photography is now used less often to gather images."（直接撮影法は、現在、画像を集める手段としては以前ほどは用いられていない）とあります。この直前でより新しい技術である電波望遠鏡やX線望遠鏡を紹介していますので、"direct photography"（直接撮影法）はこれらに取って代わられたと考えられます。したがって、新しい方法に言及した(C)が正解となります。

3. 各セクションの問題例と解説

6. ・正 解・ (**D**)

・訳 例・

画像処理とは何か。

- (A) 光の波がガラス板に当たる過程
- (B) 画像をよりすばやくつくりだす方法
- (C) 古い写真の再評価
- (D) 分析のためのデータをコンピュータによって出力する方法

・解 説・

本文中のキーワードの理解を問う問題です。キーワードは本文中で言い換えられて説明されることがよくあります。"image processing"（画像処理）が何のことかを本文から探します。第23行目に "This procedure, called image processing"（この手続きは画像処理と呼ばれ）とあるので、"This procedure"（この手続き）が指す内容を前の文から探します。前の文で手続きに相当するのは、第22〜23行目にある "the data can later be converted by computer into digital form"（そのデータは後でコンピュータを用いてデジタル形式に変換することができる）の部分です。したがって、"This procedure" は「望遠鏡から得た画像をコンピュータを用いてデジタル形式に変換する」ことだとわかります。よって (D)「分析のためのデータをコンピュータによって出力する方法」が正解です。

7. ・正 解・ (**C**)

・訳 例・

第25行目の "undetectable" にもっとも意味が近いのはどれか。

- (A) 巨大な
- (B) 劣った
- (C) 感知できない
- (D) 耐えられない

・解説・

　類義語選択の問題です。この問題のように、選択肢の単語にやや難しいものが使われる場合があります。ここでは「(そうでなければ) 肉眼では "undetectable" な情報」という形で用いられており、知覚に関する意味だとわかります。よって正解は (C) imperceptible です。なお、"unaided eye" は "un-"（否定）と "aided"（補助する）の組み合わせで「補助なしの目」という意味になり「裸眼（肉眼）」を指します。

8. ・正　解・ **(C)**

・訳　例・

なぜコンピュータを用いてつくられた画像は仮の色を使うのか。
　(A) 本物の物体は目で見るには明るすぎるから
　(B) コンピュータ画面には限られた色しかないから
　(C) 画像に表わされる性質は、そうでなければ目には見えないから
　(D) 仮の色は白黒写真を変換するために使われるから

・解説・

　コンピュータでつくった画像になぜ "false colors"（仮の色）を使うのか、その理由を本文から探します。第 24 行目に "Using false colors," と分詞構文で仮の色を使う理由についての言及があります。その後ろには、"the computer can display images of information otherwise undetectable to the unaided eye"（コンピュータは肉眼では認識できない情報も画像として表示することができる）とあります。"false colors" を用いるのは、肉眼では検出できない情報をコンピュータで画像として表示するためだとわかります。よって正解は (C) となります。第 25 行目と選択肢 (C) 中の "otherwise" は「さもなければ、もしそうでなければ (if not)」という副詞で、ここでは「もし仮の色が使われなかったとしたら（目に見えない）」という意味になります。

3. 各セクションの問題例と解説

9. ·正 解· (C)

·訳 例·

筆者はなぜ第 28 行目で「X 線の放出」について言及しているのか。

　　(A) エネルギーの流れを測定することについて議論するため
　　(B) 直接撮影法の正確さを強調するため
　　(C) 仮の色が表すものの一例をだすため
　　(D) 色と動きの特性を比較するため

·解 説·

　この問題では、文章の構造についての理解が問われています。この問題に解答するには、"x-ray emissions" の文が文章のなかで、どのような役割を果たしているかを考えなければいけません。"x-ray emissions" の前には、"such as" とあることから、この部分が例の提示であると読み取ることができます。よって、"x-ray emissions"（X 線の放射）は仮の色が記号として表している性質の一例としてあげられているとわかります。よって正解は (C)「仮の色が表すものの一例をだすため」です。

10. ·正 解· (B)

·訳 例·

この文章のどこで、筆者は撮影法の欠点について言及しているか。

　　(A) 第 1～4 行目
　　(B) 第 8～12 行目
　　(C) 第 20～24 行目
　　(D) 第 27～28 行目

·解 説·

　本文中での言及箇所を探す問題です。この場合、最初から探していくこともできますが、それでは時間がかかりすぎます。この問題が最後に置かれていることから出題の意図を考えると、この問題では文章の流れを把握しているかどうかを問うていると考えられます。もう一度、この文章の流れを確認

してみましょう。

　まず、前半のパラグラフでは「天文学における直接撮影法」について言及されていて、長所と短所が述べられていました。後半のパラグラフは、「新しい観測方法の利点」についてであり、画像処理の説明がされていました。したがって、撮影法の欠点については、前半のパラグラフを探せばよいことがわかります。前半のパラグラフを示す選択肢は (A) と (B) ですが、(A) の最初の 4 行は撮影法の導入としての役割を果たしていますので、(B) が求める箇所ということになります。

　この部分を確認すると、第 11～12 行目に "For this reason, photography cannot make very efficient use of the short time exposures on a telescope." とあり、"For this reason" を補足して考えると、「(撮影法では、ごくわずかな光子は画像に写すことができず) この理由のため、撮影法は望遠鏡への短時間露光をそれほど効果的に使えない」という意味に取れます。したがって、短時間の撮影には効果的でないのが "photography" の欠点だとわかります。

学習アドバイス

(1) 本文のスキミングを通して、主題・大意を把握する。

　スキミングで大事なのは、パラグラフごとに内容をまとめていくことです。パラグラフは、一般に主題文・支持文・まとめ文から構成されており、最初に来るのが主題文です。主題文を読めば、そのパラグラフの内容をおおまかに理解することができます。

(2) それぞれの設問に対応するためにスキャニングを行う。

　スキャニングのときには設問に現れる **5W1H** を意識して行いましょう。問題文の左端に示されている数字は、行数を表しています。特定の行にある語句や表現について問われることも多いので、大いに活用しましょう。

(3) 解答欄に記入したマークを見直す。

　正解は完全にマークしてください。マークシートはかならずしもすべて埋まるわけではないので（余るマーク欄もあります）、記入すべき解答欄をしっかりと確認してください

Reading の問題タイプ

(1) 大意を把握する問題： What is the main topic of the passage?
　基本的に消去法を用いましょう。本文の一部でしか触れられていないものや本文に記述のない選択肢は消去します。正答では、多くの場合、文章中の語句をそのまま使わず、言い換えられています。

(2) 類義語問題： The word "ABC" in line ## is closest in meaning to XYZ
　かならず本文中で語句の意味を考えてから選択肢に目を通しましょう。語彙力がないと厳しい問題もあります。接頭辞や接尾辞について学習しておくと、語彙の幅を広げることができます。

(3) 参照問題： The word "ABC" in line ## refers to XYZ
　指示代名詞や言い換えられた表現に対応する語句を問う問題です。数や品詞に注意して、丁寧に読みましょう。

(4) 推測問題： It can be inferred that ...
(5) NOT, EXCEPT 問題： 誤り探し
(6) 内容読み取り問題

　かならず本文中に根拠を探してから選択肢を撰ぶようにしましょう。

Part 3

「本物のテスト」問題にチャレンジ

― 練習と解法 ―

Part 3

「本物のテスト」問題にチャレンジ
－練習と解法－

1. TOEFL ITP® テスト──実際の問題例

　Part 3 では、いよいよ TOEFL ITP の「本物のテスト」問題（Real Test）に取り組むことになります。問題冊子のデザインをはじめ、問題の量や難易度など、すべて本番の TOEFL ITP で使用するものと、まったく同じものを掲載しています。次のページが表紙にあたり、そして裏表紙、セクション 1 の指示文と続きます。

　本書の問題を本番の練習として活用する場合は、付属の CD を使用してください。セクション 1 のリスニングについては、CD に従って解答を行うことになります。セクション 2 とセクション 3 については、自分で時間を計って取り組んでください。すでに紹介したように、セクション 2 の解答時間は 25 分、セクション 3 の解答時間は 55 分です。この時間には、指示文を読む時間も含まれています。さらに臨場感をもって取り組みたい方は、巻末のアンサーシート（p. 219）をコピーして、そちらに解答することをおすすめします。

　すべての問題の後に、解答と問題の解説を掲載しています。解説は、答え合わせの後の確認などに役立ててください。各セクションの正解数を求めたら、本書の Part 1 で紹介した表 6「正解数とスコア換算表」（p.10）を参考にして、ぜひ合計スコアを求めてみてください。

ETS TOEFL®

Test of English as a Foreign Language
Test Book

Institutional Testing Program

Print your full name		
Last	First	Middle

(Track No. 19)

TEST OF ENGLISH AS A FOREIGN LANGUAGE
General Directions

This is a test of your ability to use the English language. It is divided into three sections, some of which have more than one part. Each section or part of the test begins with a set of specific directions that include sample questions. Be sure you understand what you are to do before you begin to work on a section.

The supervisor will tell you when to start each section and when to go on to the next section. You should work quickly but carefully. Do not spend too much time on any one question. If you finish a section early, you may review your answers on that section only. You may not go on to the next section and you may not go back to a section you have already worked on.

You will find that some of the questions are more difficult than others, but you should try to answer every one. Your score will be based on the number of correct answers you give. If you are not sure of the correct answer to a question, make the best guess you can. It is to your advantage to answer every question, even if you have to guess the answer.

Do not mark your answers in the test book. You must mark all of your answers on the separate answer sheet that the supervisor will give to you. When you mark your answer to a question on your answer sheet, you must:

— Use a medium-soft (#2 or HB) black lead pencil.
— Be careful to mark the space that corresponds to the answer you choose for each question. Also, make sure you mark your answer in the row with the same number as the number of the question you are answering. You will not be permitted to make any corrections after time is called.
— Mark only one answer to each question.
— Carefully and completely fill each intended oval with a dark mark so that you cannot see the letter inside the oval.
— Erase all extra marks completely and thoroughly. If you change your mind about an answer after you have marked it on your answer sheet, completely erase your old answer and then mark your new answer.

The examples below show you the correct and wrong ways of marking an answer sheet. Be sure to fill in the ovals on your answer sheet the correct way.

CORRECT	WRONG	WRONG	WRONG	WRONG
Ⓐ Ⓑ ● Ⓓ	Ⓐ Ⓑ ✓Ⓒ Ⓓ	Ⓐ Ⓑ ✗Ⓒ Ⓓ	Ⓐ Ⓑ Ⓒ Ⓓ	Ⓐ Ⓑ Ⓒ Ⓓ

Some or all of the passages for this test have been adapted from published material to provide the examinee with significant problems for analysis and evaluation. To make the passages suitable for testing purposes, the style, content, or point of view of the original may have been altered in some cases. The ideas contained in the passages do not necessarily represent the opinions of the TOEFL Board or Educational Testing Service.

Educational Testing Service

EDUCATIONAL TESTING SERVICE, ETS, the ETS logos, TOEFL, and the TOEFL logo are registered trademarks of Educational Testing Service.
Educational Testing Service
Princeton, New Jersey 08541

Section 1
Listening Comprehension

In this section of the test, you will have an opportunity to demonstrate your ability to understand conversations and talks in English. There are three parts to this section with special directions for each part. Answer all the questions on the basis of what is stated or implied by the speakers in this test. Do **not** take notes or write in your test book at any time. Do **not** turn the pages until you are told to do so.

Part A

Directions: In Part A, you will hear short conversations between two people. After each conversation, you will hear a question about the conversation. The conversations and questions will not be repeated. After you hear a question, read the four possible answers in your test book and choose the best answer. Then, on your answer sheet, find the number of the question and fill in the space that corresponds to the letter of the answer you have chosen.

Here is an example.

On the recording, you hear:

Sample Answer
● Ⓑ Ⓒ Ⓓ

In your test book, you read: (A) He doesn't like the painting either.
(B) He doesn't know how to paint.
(C) He doesn't have any paintings.
(D) He doesn't know what to do.

You learn from the conversation that neither the man nor the woman likes the painting. The best answer to the question "What does the man mean?" is (A), "He doesn't like the painting either." Therefore, the correct choice is (A).

(Wait)

(Track No. 20–21)

1 1 1 1 1 1 1

1. (A) He's majoring in economics.
   (B) He forgot to go to the bookstore.
   (C) He bought the wrong book.
   (D) He's selling his book to the woman.

2. (A) She'll meet the man in the cafeteria.
   (B) She doesn't have a phone at home.
   (C) She doesn't have time to call her doctor.
   (D) She won't join the man for lunch.

3. (A) Search his closet.
   (B) Buy a new wallet.
   (C) Look in his coat pockets.
   (D) Take off his coat.

4. (A) He forgot about his appointment with the woman.
   (B) He didn't finish his science project on time.
   (C) He can't help the woman with her science project.
   (D) He'll meet the woman at the library in 30 minutes.

5. (A) He has never been to a dormitory party before.
   (B) He doesn't like his dormitory room.
   (C) He agrees with the woman.
   (D) He finds the party much too noisy.

6. (A) She's happy she doesn't have so many exams.
   (B) She can't help the man study.
   (C) She won't do as well on the test as the man.
   (D) The man shouldn't complain.

7. (A) Karen is experienced at making salads.
   (B) It's easy to make a good salad.
   (C) The woman's salads are just as good as Karen's.
   (D) He's not sure why Karen's salads taste so good.

8. (A) Have the store deliver the couch.
   (B) Try to get a discount on the couch.
   (C) Delay the delivery of the couch.
   (D) Rearrange the furniture in her apartment.

9. (A) He thought the exhibit had closed.
   (B) He was confused about when the exhibit started.
   (C) He saw the exhibit last weekend.
   (D) He wasn't interested in meeting the photographer.

10. (A) Trying on clothes.
    (B) Buying a mirror.
    (C) Packing for a trip.
    (D) Looking at travel books.

Go on to the next page

Track No. 22–26   Track No. 27–31

11. (A) Make sure the wires are connected properly.
    (B) Get a new printer.
    (C) Replace the cables on the printer.
    (D) Check the computer for lost files.

12. (A) He doesn't know the way to the golf course.
    (B) He's probably not free in the afternoon.
    (C) He may not be a better golfer than the woman.
    (D) He's glad the woman has her own equipment.

13. (A) Wait for his headache to go away.
    (B) Read a book instead.
    (C) Take a different kind of medicine.
    (D) Find out what the correct dosage is.

14. (A) She didn't plan to eat supper.
    (B) She's washing up for supper.
    (C) She didn't want to come home.
    (D) She was planning to eat at home.

15. (A) The man plays the piano well.
    (B) The man should reconsider taking piano lessons.
    (C) She doesn't enjoy listening to music.
    (D) She doesn't have musical ability.

16. (A) He needed to call the bakery again.
    (B) The bakery wasn't open.
    (C) The bakery was sold out of bread.
    (D) The bakery doesn't make French bread.

17. (A) Go to the interview early.
    (B) Do some exercise to relax.
    (C) Tell the interviewer about his qualifications.
    (D) Wear his new suit to the interview.

18. (A) They don't know who painted the pictures.
    (B) They think modern paintings are creative.
    (C) They think children should be taught to paint.
    (D) They don't like the paintings.

19. (A) She'll get a ride home with her parents.
    (B) She can't go home until July.
    (C) She quit her job before summer vacation.
    (D) She's not going home for the summer.

20. (A) Jeff can give her directions to the rehearsal.
    (B) The woman should tell Jeff to come to the rehearsal.
    (C) Jeff might know when the rehearsal will end.
    (D) He doesn't know whether Jeff will be at the rehearsal.

Go on to the next page

Track No. 32–36

Track No. 37–41

21. (A) He had to turn it off.
    (B) He couldn't hear it.
    (C) He enjoyed listening to it while working.
    (D) He was disturbed by it.

22. (A) Putting up posters now is a waste of time.
    (B) Most people have already voted.
    (C) The election results have already been posted.
    (D) Many voters are undecided.

23. (A) She's made a lot of progress.
    (B) She was always good in chemistry.
    (C) She travels a long distance to school.
    (D) She's been studying chemistry for hours.

24. (A) The man is a much better skier than he used to be.
    (B) The man lacks the ability needed to become a good skier.
    (C) The man shouldn't compare his ability to hers.
    (D) The man should have taken skiing lessons as a child.

25. (A) His neighbors no longer grow peaches.
    (B) He keeps forgetting to ask his neighbors for peaches.
    (C) He's not sure what the woman is referring to.
    (D) His neighbors planted a new peach tree after the storm.

26. (A) He knows the manager of Jack's company.
    (B) He wants to help Jack move.
    (C) He's sorry he can't help Jack manage his business.
    (D) He's doubtful that Jack's plans will succeed.

27. (A) Stay home and watch the news.
    (B) Watch the program at a classmate's house.
    (C) Tell Professor Jones the news.
    (D) Meet professor Jones at Dave's house.

28. (A) Place an ad in the newspaper.
    (B) Look in the student paper under "Apartments for Rent."
    (C) Check the notices posted on campus.
    (D) Look at some apartments located near the student center.

29. (A) He hopes the woman won't forget their lunch date.
    (B) There are some tennis courts available right now.
    (C) The tennis courts will be too wet to play on.
    (D) He wants to continue the game tomorrow.

30. (A) He had already received the phone.
    (B) The phone would be installed soon.
    (C) The phone was already on order.
    (D) The phone had not been ordered.

Go on to the next page

(Track No. 42–46)   (Track No. 47–51)

1 1 1 1 1 1 1

Part B

Directions: In this part of the test, you will hear longer conversations. After each conversation, you will hear several questions. The conversations and questions will not be repeated.

After you hear a question, read the four possible answers in your test book and choose the best answer. Then, on your answer sheet, find the number of the question and fill in the space that corresponds to the letter of the answer you have chosen.

Remember, you are **not** allowed to take notes or write in your test book.

(Wait)

(Track No. 52)

31. (A) A new book.
    (B) An exhibit of photographs.
    (C) A lecture series on transportation.
    (D) Recent developments in urban transportation.

32. (A) The editor of the school newspaper.
    (B) The professor's student.
    (C) The coauthor of the book.
    (D) A subway company executive.

33. (A) How it was financed.
    (B) The engineering of the tunnels.
    (C) Its representation in art and literature.
    (D) The effects on city life.

34. (A) Show the reporter some photographs.
    (B) Read an article in the campus newspaper.
    (C) Explain how the subway tunnels were built.
    (D) Examine a map of the New York subway system.

35. (A) Setting up a computer class.
    (B) Meeting a computer software vendor.
    (C) Planning a computer fair.
    (D) Arranging a trip to a computer company.

36. (A) They attended a similar one the day before.
    (B) Too few members are interested in the activity.
    (C) The room isn't available that evening.
    (D) The weather may be bad.

37. (A) At a computer software company.
    (B) Far from the university.
    (C) At the man's house.
    (D) On the university campus.

38. (A) The man will contact all the members.
    (B) A radio announcement will be made.
    (C) They will talk to the person in charge of publicity.
    (D) They will each call some of the members.

Go on to the next page

Track No. 53–57

Track No. 58–62

1 1 1 1 1 1 1

Part C

Directions: In this part of the test, you will hear several short talks. After each talk, you will hear some questions. The talks and the questions will not be repeated.

After you hear a question, read the four possible answers in your test book and choose the best answer. Then, on your answer sheet, find the number of the question and fill in the space that corresponds to the letter of the answer you have chosen.

Here is an example.

On the recording, you hear:

Now listen to a sample question.   **Sample Answer**

                                                                     Ⓐ Ⓑ ● Ⓓ

In your test book, you read: (A) To demonstrate the latest use of computer graphics.
(B) To discuss the possibility of an economic depression.
(C) To explain the workings of the brain.
(D) To dramatize a famous mystery story.

The best answer to the question "What is the main purpose of the program?" is (C), "To explain the workings of the brain." Therefore, the correct choice is (C).

Now listen to another sample question.   **Sample Answer**

                                                                     Ⓐ Ⓑ Ⓒ ●

In your test book, you read: (A) It is required of all science majors.
(B) It will never be shown again.
(C) It can help viewers improve their memory skills.
(D) It will help with course work.

The best answer to the question "Why does the speaker recommend watching the program?" is (D), "It will help with course work." Therefore, the correct choice is (D).

Remember, you are **not** allowed to take notes or write in your test book.

(Wait)

(Track No. 63)

39. (A) To introduce a recording of a Native American legend.
    (B) To encourage the young to become storytellers.
    (C) To compare oral and written traditions.
    (D) To tell a famous story.

40. (A) They were used to teach children the language.
    (B) They carried news from one tribe to another.
    (C) They preserved the society's history.
    (D) They served as chiefs.

41. (A) They are more comprehensive than earlier recordings.
    (B) They provide income for the Crow tribes.
    (C) Today's children prefer Native American stories.
    (D) Without recordings the stories might be forgotten.

42. (A) Children have better memories than adults do.
    (B) The traditional storytellers have died.
    (C) He's interested in the children's reactions.
    (D) The storytellers are too busy to be interviewed.

43. (A) To ask her to revise her comments.
    (B) To discuss the notes she had given him.
    (C) To find out when he should bring her a revised copy.
    (D) To explain why his paper would be late.

44. (A) He disagrees with them.
    (B) He appreciates them.
    (C) He's offended by them.
    (D) He doesn't think they're important.

45. (A) They are classmates.
    (B) They are doing research together.
    (C) She is his editor.
    (D) She is his professor.

46. (A) When the paper should be finished.
    (B) How to choose an appropriate topic.
    (C) Whether the paper needs revision.
    (D) What type of information to add to the paper.

Track No. 64–68

Track No. 69–73

47. (A) How they enjoy their food.
    (B) How they communicate with each other.
    (C) How they depend on the Sun.
    (D) How they learn different dances.

48. (A) A signal that it is tired.
    (B) A message about a food source.
    (C) Acceptance of another honeybee to its hive.
    (D) A warning that danger is near.

49. (A) It is not verbal.
    (B) It is not informative.
    (C) It is not effective.
    (D) It is not complicated.

50. (A) Read the chapters on honeybee communication.
    (B) Discuss the different ways humans communicate.
    (C) Give examples of other types of animal communication.
    (D) Write a paper on the various forms of communication.

**This is the end of Section 1.
Stop work on Section 1.**

**Do NOT read or work on any other section of the test.
The supervisor will tell you when to begin work on Section 2.**

Track No. 74–78

Section 2
Structure and
Written Expression

Time: 25 minutes

This section is designed to measure your ability to recognize language that is appropriate for standard written English. There are two types of questions in this section, with special directions for each type.

Structure

Directions: Questions 1-15 are incomplete sentences. Beneath each sentence you will see four words or phrases, marked (A), (B), (C), and (D). Choose the **one** word or phrase that best completes the sentence. Then, on your answer sheet, find the number of the question and fill in the space that corresponds to the letter of the answer you have chosen.

Example I   Sample Answer

Geysers have often been compared to volcanoes -------   Ⓐ ● Ⓒ Ⓓ
they both emit hot liquids from below the Earth's surface.

(A) due to
(B) because
(C) in spite of
(D) regardless of

The sentence should read, "Geysers have often been compared to volcanoes because they both emit hot liquids from below the Earth's surface." Therefore, you should choose (B).

Example II   Sample Answer

During the early period of ocean navigation, -------   Ⓐ Ⓑ Ⓒ ●
any need for sophisticated instruments and techniques.

(A) so that hardly
(B) when there hardly was
(C) hardly was
(D) there was hardly

The sentence should read, "During the early period of ocean navigation, there was hardly any need for sophisticated instruments and techniques." Therefore, you should choose (D).

Now begin work on the questions.

Go on to the next page

1. Telephone cables that use optical fibers can be ------- conventional cables, yet they typically carry much more information.
   (A) they are smaller and lighter
   (B) than the smaller and lighter
   (C) smaller and lighter than
   (D) so small and light that

2. In making cheese, -------, is coagulated by enzyme action, by lactic acid, or by both.
   (A) casein is the chief milk protein
   (B) casein, being that the chief milk protein
   (C) the chief milk protein is casein
   (D) casein, the chief milk protein

3. Sensory structures ------- from the heads of some invertebrates are called antennae.
   (A) are growing
   (B) they are growing
   (C) that grow
   (D) grow

4. Because of an optical illusion, the Moon appears to be larger ------- close to the horizon.
   (A) when it is
   (B) it is as
   (C) than is
   (D) which is

5. Newspaper historians feel that Joseph Pulitzer exercised ------- on American journalism during his lifetime.
   (A) influence remarkable
   (B) remarkable for his influence
   (C) influence was remarkable
   (D) remarkable influence

6. As Secretary of Housing and Urban Development, Carla A. Hills worked ------- from the economic slump of the 1970's.
   (A) she helped America's housing industry recover
   (B) the recovery of America's housing industry helped
   (C) to help America's housing industry recover
   (D) for the recovery of America's housing industry to help

7. The safflower plant is grown chiefly for the oil ------- from its seeds.
   (A) obtained
   (B) is obtaining
   (C) which obtains it
   (D) obtaining that

8. ------- late July and early August that the Earth rotates at its greatest speed.
   (A) There is in
   (B) It is in
   (C) In it
   (D) In

9. In 1984 Kathryn Sullivan became the first female astronaut ------- in space.
   (A) would walk
   (B) walked
   (C) was walking
   (D) to walk

10. ------- must have water to lay and fertilize their eggs, whereas their offspring, tadpoles, need water for development and growth.
    (A) Though frogs and toads
    (B) Frogs and toads
    (C) That frogs and toads
    (D) If frogs and toads

11. In 1964 the United States Bureau of the Census estimated that California had become the most populous state, -------- New York.
    (A) surpasses
    (B) surpassing
    (C) surpassed
    (D) had surpassed

12. ------- not for its addictive properties, morphine would be used more frequently to relieve pain.
    (A) If it
    (B) It is
    (C) Were it
    (D) Why

13. The American philosopher and educator John Dewey rejected -------.
    (A) to use authoritarian teaching methods
    (B) that authoritarian teaching methods
    (C) for authoritarian teaching methods
    (D) authoritarian teaching methods

14. ------- can be partially credited to the cooperation of Canadian politicians Robert Baldwin and Louis H. Lafontaine, who fought for responsible government during the 1840's.
    (A) Today a member of the Commonwealth, Canada
    (B) That Canada is today a member of the Commonwealth
    (C) Today, Canada is a member of the Commonwealth
    (D) It is Canada, as a member of the Commonwealth

15. ------- many food preservation methods for inhibiting the growth of bacteria.
    (A) The
    (B) Because
    (C) There are
    (D) Having

Written Expression

Directions: In questions 16-40 each sentence has four underlined words or phrases. The four underlined parts of the sentence are marked (A), (B), (C), and (D). Identify the **one** underlined word or phrase that must be changed in order for the sentence to be correct. Then, on your answer sheet, find the number of the question and fill in the space that corresponds to the letter of the answer you have chosen.

Example I   Sample Answer

Guppies are sometimes <u>call</u> rainbow <u>fish</u> <u>because of</u>   ● Ⓑ Ⓒ Ⓓ
                           A   B   C
the males' <u>bright</u> colors.
              D

The sentence should read, "Guppies are sometimes called rainbow fish because of the males' bright colors." Therefore, you should choose (A).

Example II   Sample Answer

<u>Serving</u> several <u>term</u> in Congress, Shirley Chisholm   Ⓐ ● Ⓒ Ⓓ
    A   B
became an <u>important</u> United States <u>politician</u>.
              C   D

The sentence should read, "Serving several terms in Congress, Shirley Chisholm became an important United States politician." Therefore, you should choose (B).

Now begin work on the questions.

099 Go on to the next page ▶

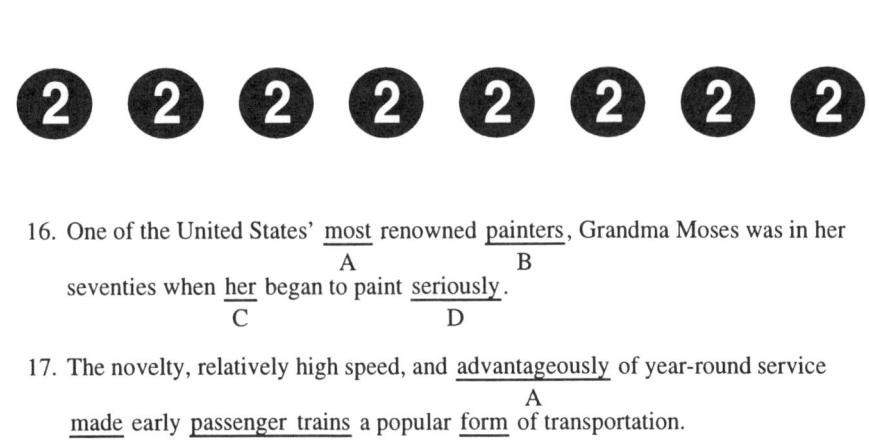

16. One of the United States' most renowned painters, Grandma Moses was in her
                            A   B
    seventies when her began to paint seriously.
                    C   D

17. The novelty, relatively high speed, and advantageously of year-round service
                                              A
    made early passenger trains a popular form of transportation.
    B   C   D

18. Statistical evidence indicates that the century-old trend in the United States of
                         A
    children are taller than their parents seems to have leveled off.
             B   C   D

19. Many artists use watercolors on outdoor sketching trips because the equipment
                                    A   B   C
    is light, compact, and easily transport.
                                  D

20. Basketball is one of the leading sport in the United States, attracting well over
               A   B   C
    30 million spectators every year.
                          D

21. The power of Gwendolyn Brooks' poetry often results from her innovative
        A
    style, her elegant lyricism, and her combine of formal language with informal
               B   C
    speech.
    D

22. Because incomplete records, the number of enlistments in the Confederate
        A   B
    army has long been in dispute.
         C   D

23. Musical instruments are divided into various types, depending on whether the
                            A   B
    vibration that produces their sound is made by striking, strumming, scraping, or
                            C
    is blown.
    D

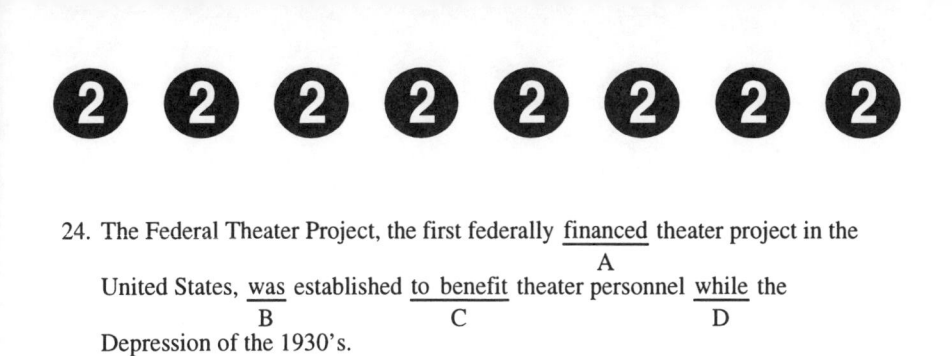

24. The Federal Theater Project, the first federally financed theater project in the
                                                     A
    United States, was established to benefit theater personnel while the
                  B   C   D
    Depression of the 1930's.

25. Estuaries are highly sensitive and ecologically important habitats, providing
                  A   B   C
    breeding and feeding grounds for much life-forms.
                                    D

26. As early the seventeenth century various North American colonies enacted
        A   B
    construction regulations for buildings to help prevent the spread of fires.
                 C   D

27. When the thermometer drops below 68 degrees Fahrenheit, the body conserves
    A   B
    warm by restricting blood flowing to the skin.
    C   D

28. Although best known for great novel *The Grapes of Wrath*, John Steinbeck
                         A
    also published essays, plays, stories, memoirs, and newspaper articles.
    B   C   D

29. Few jurists have left too deep an imprint on the law and government of their
    A   B   C   D
    country as John Marshall.

30. A cicada is a big insect with a wide head, large protruding the eyes, and two
                  A   B   C
    pairs of wings.
    D

31. The contralto is the lowest female singing voice, with a range of about two
                      A   B   C
    and half octaves upward from about E in the bass clef.
    D

32. Sponges live in colonies attached the ocean floor or other surfaces.
        A   B   C   D

101   Go on to the next page

33. The vivid markings of the leopard's fur make it value as a zoo attraction.
         A   B   C   D

34. Carl Sagan, the renowned astronomer, served as an advice to NASA and to the
                   A   B   C   D
    National Academy of Sciences.

35. The most mammals have two sets of teeth during their lifetime, consisting of
       A   B   C
    the temporary teeth and the permanent ones.
                                          D

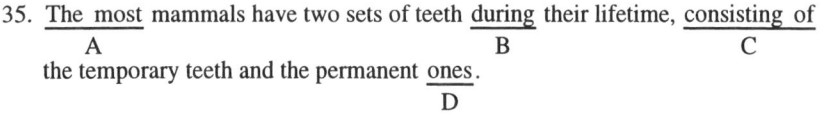

36. Some of playwrights provide extensive instructions in the text of their plays on
       A   B
    how the plays should be interpreted by actors and directors.
     C   D

37. The political and economic life of the state of Rhode Island was dominated by
                                      A   B
    the owners of textile mills well into the twenty century.
                           C   D

38. Deriving its energy from warm tropical ocean water, hurricanes weaken after
           A   B
    prolonged contact with colder northern ocean waters.
       C   D

39. Lichens grow in a variety of places, ranging from dry area to moist rainforests,
           A   B   C
    to freshwater lakes, and even to bodies of salt water.
                                D

40. After launching the Hubble Space Telescope into orbit, a makers discovered
                                                  A   B
    that its original main mirror had a major flaw that subsequently had to be
     C   D
    repaired.

This is the end of Section 2.
If you finish before time is called, check your work on Section 2 only.

The supervisor will tell you when to begin work on Section 3.

No test material on this page.

No test material on this page.

Section 3
Reading Comprehension

Time: 55 minutes

Directions: In this section you will read several passages. Each one is followed by several questions about it. For questions 1-50, you are to choose the **one** best answer, (A), (B), (C), or (D), to each question. Then, on your answer sheet, find the number of the question and fill in the space that corresponds to the letter of the answer you have chosen.

Answer all questions following a passage on the basis of what is **stated** or **implied** in that passage.

Read the following passage:

> The railroad was not the first institution to impose regularity on society, or to draw attention to the importance of precise timekeeping. For as long as merchants have set out their wares at daybreak and communal festivities have been celebrated,
> Line   people have been in rough agreement with their neighbors as to the time of day. The
> (5)   value of this tradition is today more apparent than ever. Were it not for public acceptance of a single yardstick of time, social life would be unbearably chaotic: the massive daily transfers of goods, services, and information would proceed in fits and starts; the very fabric of modern society would begin to unravel.

Example I   **Sample Answer**

What is the main idea of the passage?   Ⓐ Ⓑ ● Ⓓ

(A) In modern society we must make more time
    for our neighbors.
(B) The traditions of society are timeless.
(C) An accepted way of measuring time is essential
    for the smooth functioning of society.
(D) Society judges people by the times at which
    they conduct certain activities.

The main idea of the passage is that societies need to agree about how time is to be measured in order to function smoothly. Therefore, you should choose (C).

Example II   **Sample Answer**

In line 5, the phrase "this tradition" refers to   Ⓐ Ⓑ Ⓒ ●

(A) the practice of starting the business day at dawn
(B) friendly relations between neighbors
(C) the railroad's reliance on time schedules
(D) people's agreement on the measurement of time

The phrase "this tradition" refers to the preceding clause, "people have been in rough agreement with their neighbors as to the time of day." Therefore, you should choose (D).

Now begin work on the questions.

Questions 1-10

Different fish species swim in different ways. Beginning in the 1920's, careful efforts have been made to classify and measure these various means of locomotion. Although the nomenclature and mathematics used to describe fish locomotion have
Line become quite complex, the basic classification system is still largely the same as it was
(5) first outlined.

The simplest type of swimming is "eel-form" (technically, "anguilliform," after the common eel *Anguilla*). As the name suggests, this swimming motion involves undulations, or wavelike motions, of the whole length of the fish's body, the amplitude of the undulation increasing toward the tail. These undulating motions generate a
(10) backward thrust of the body against the water, thereby driving it forward. Eel-form swimming is effective but not particularly efficient because the undulations increase the drag, or resistance in the water. It is employed, therefore, mostly by bottom dwellers that do not move quickly or efficiently. Not only eels but also blennies swim this way, as do flounders, which undulate vertically, top to bottom, rather than
(15) horizontally, and certain slow-moving sharks, such as the nurse and wobbegong shark.

Most roaming predators display "jack-form" swimming (technically, "carangiform," after the Canrangidae family, which includes jacks, scads, and pompanos). Although there is some variation, in general they have certain features in common: a head like the nose of an aircraft, often sloping down on the top, and a tapered posterior that ends
(20) in a forked tail. That portion of the body that connects with the forked tail is narrowed. A jack, like other carangiform swimmers, is adapted for acceleration. It thrusts its rather stiff body from side to side, creating propulsion without much waving of the body, encountering less resistance than eel-form undulations produce. The forked pattern of the tail reduces drag; the narrowed portion of the body conncctcd to the tail
(25) minimizes recoil, and thus helps keep the body still. Jack-form fish are efficient swimmers, as they must be to catch their prey.

The least efficient swimmers are those that move trunkfish style (technically, "ostraciform," after the family Ostraciidae, which includes trunkfishes and cowfishes). Like the jacks, they use their tails for propulsion, but in so inept and clumsy a manner
(30) as to make it clear that speed is not their objective. Pufferfish and porcupine fish swim in trunkfish style. Lacking speed, they must depend on body armor or the secretion of toxic substances for protection.

1. The word "suggests" in line 7 is closest in meaning to
   (A) implies
   (B) demands
   (C) describes
   (D) compares

2. The word "it" in line 10 refers to
   (A) tail
   (B) thrust
   (C) body
   (D) water

3. Which of the following does the author mention as the cause of the eel's inefficient swimming style?

   (A) The increased drag produced by the movement of the body
   (B) The eel's habit of usually swimming near the bottom of the water
   (C) The simple structure of the eel's body
   (D) The weakness of the backward thrust of the eel's tail

4. The word "employed" in line 12 is closest in meaning to

   (A) used
   (B) occupied
   (C) developed
   (D) provided

5. It can be inferred from the passage that blennies (line 13) are

   (A) bottom dwellers
   (B) sharks
   (C) predators
   (D) a type of eel

6. The word "minimizes" in line 25 is closest in meaning to

   (A) prevents
   (B) reduces
   (C) determines
   (D) repeats

7. What does the author mention about fish that are "jack-form" swimmers?

   (A) They usually prey upon bottom-dwelling fish.
   (B) Their swimming style lets them catch prey effectively.
   (C) They have tails similar to those of eels.
   (D) Their highly flexible skeletal structure allows them to swim efficiently.

8. The word "objective" in line 30 is closest in meaning to

   (A) ability
   (B) preference
   (C) purpose
   (D) method

9. Which of the following fish would most likely emit a poisonous substance?

   (A) A nurse shark (line 15)
   (B) A jack (line 17)
   (C) A pompano (line 17)
   (D) A pufferfish (line 30)

10. Which of the following statements does the passage support?

    (A) A scientist today would use a system of classification for fish locomotion similar to that used in the 1920's.
    (B) Scientists today still do not understand the mechanics of fish locomotion.
    (C) Mathematical analysis of fish locomotion has remained largely unaltered since the 1920's.
    (D) The classification of fish locomotion has been simplified since it was devised in the 1920's.

Questions 11-20

In past centuries, Native Americans living in the arid areas of what is now the southwestern United States relied on a variety of strategies to ensure the success of their agriculture. First and foremost, water was the critical factor. The soil was rich
Line because there was little rain to leach out the minerals, but the low precipitation caused
(5) its own problems. Long periods of drought could have made agriculture impossible; on the other hand, a sudden flood could just as easily have destroyed a crop.

Several techniques were developed to solve the water problem. The simplest was to plant crops in the floodplains and wait for the annual floods to water the young crops. A less dangerous technique was to build dikes or dams to control the flooding. These
(10) dikes both protected the plants against excessive flooding and prevented the water from escaping too quickly once it had arrived. The Hopi people designed their fields in a checkerboard pattern, with many small dikes, each enclosing only one or two stalks of maize (corn), while other groups built a series of dams to control the floods. A third technique was to dig irrigation ditches to bring water from the rivers. Water was
(15) sometimes carried to the fields in jars, particularly if the season was dry. Some crops were planted where they could be watered directly by the runoff from cliff walls.

Another strategy Native Americans used to ensure a continuous food supply was to plant their crops in more than one place, hoping that if one crop failed, another would survive. However, since the soil was rich and not easily exhausted, the same patch of
(20) ground could be cultivated year after year, whereas in the woodlands of the eastern United States it was necessary to abandon a plot of ground after a few years of farming. In the Southwest, often two successive crops were planted each year.

It was a common southwestern practice to grow enough food so that some could be dried and stored for emergencies. If emergency supplies ran low, the people turned to
(25) the local wild plants. If these failed, they moved up into the mountains to gather the wild plants that might have survived in the cooler atmosphere.

11. What does the passage mainly discuss?
   (A) Agricultural methods of Native Americans
   (B) Irrigation techniques used by the Hopi
   (C) Soil quality in the American Southwest
   (D) Native American methods of storing emergency food supplies

12. The word "solve" in line 7 is closest in meaning to
   (A) advance toward
   (B) protect from
   (C) keep in
   (D) deal with

13. Planting in the floodplains was not ideal because
    (A) the amount of water could not be controlled
    (B) the crops could be eaten by wild animals
    (C) the floodplains were too remote to be cultivated frequently
    (D) corn grows better at high elevations

14. The word "enclosing" in line 12 is closest in meaning to
    (A) defending
    (B) measuring
    (C) surrounding
    (D) extending

15. The word "they" in line 16 refers to
    (A) fields
    (B) jars
    (C) crops
    (D) walls

16. Why did farmers in the Southwest plant crops in several places at the same time?
    (A) They moved frequently from one place to another.
    (B) They feared that one of the crops might fail.
    (C) The size of each field was quite limited.
    (D) They wanted to avoid overusing the soil.

17. The word "patch" in line 19 is closest in meaning to
    (A) type
    (B) level
    (C) group
    (D) piece

18. Why did farmers in the eastern woodlands periodically abandon their fields?
    (A) Seasonal flooding made agriculture impossible.
    (B) They experienced water shortages.
    (C) They wanted a longer growing season.
    (D) The minerals in the soil were exhausted

19. What did farmers in the Southwest do when a crop failed?
    (A) They planted in the eastern woodlands.
    (B) They gathered food from wild plants.
    (C) They moved away from the mountains.
    (D) They redesigned their fields for the next season.

20. Farmers in the Southwest would have benefited most from which of the following?
    (A) Steeper cliff walls
    (B) More sunshine
    (C) Regular precipitation
    (D) Smaller dikes

Questions 21-30

Line
(5)

(10)

(15)

(20)

(25)

The Interstate Commerce Act of 1887 marked a significant turning point in United States history: it represented the first attempt of the federal government to make a law to regulate private enterprise and led to the establishment of the first federal regulatory agency — the Interstate Commerce Commission. The commerce clause of the United States Constitution grants the federal government the basic right to regulate interstate trade, and transportation clearly is subject to this clause. For this reason, it is not surprising that the first major form of regulation concerned the transportation industry.

The act was created to regulate the transportation of people and property by carriers within the United States — specifically, railroad carriers. The railroad industry in the United States was developing at full speed in the 1870's. By the late 1870's and early 1880's, every significant city in the country had far more railroads than necessary to serve its needs. On the route between Atlanta and St. Louis, for example, twenty competing railroad lines operated. Nearly as many serviced the Chicago-New York trade route. Owing to the extensive competition and price wars (one railroad at one point reduced its Chicago-New York fare to one dollar) several lines went bankrupt. Those that survived did so by resorting to various tactics to prevail against their competitors. One such tactic was to give rebates (return a portion of payments) to shippers that used the services of one railroad exclusively. Another, which made some of the railway lines highly unpopular, was the pooling of several competing companies to form a virtual monopoly over a certain route or area.

Such abuses became a major political issue of the day, and several states in the Midwest began to attempt regulation over the railroads in the absence of action by the federal government. By 1887, however, the federal government was sufficiently concerned to create regulatory legislation, and President Grover Cleveland signed the Interstate Commerce Act into law that year. The act applied only to those railroads operating within two or more states and required that rates be "reasonable and just." It also prohibited price discrimination, rebates, and pooling efforts. Railway rates were required to be publicly disclosed and could not be changed without ten days public notice.

21. What does the passage mainly discuss?
    (A) How the United States Constitution affects lawmaking
    (B) Competition among railroads
    (C) The development of railroad passenger service
    (D) The original purpose of the Interstate Commerce Act

22. Which of the following can be inferred about the regulation of the transportation industry in the nineteenth century?
    (A) Regulations were unpopular with private businesses.
    (B) The cities affected by transportation problems began to regulate the railroad industry.
    (C) Before the 1880's there was no government supervision of the transportation industry.
    (D) Regulation was designed to increase competition among railroads.

23. Why does the United States government have the authority to regulate the railroad business?
    (A) The states asked the federal government to control railroad abuses.
    (B) The federal government was granted the power by the United States Constitution.
    (C) The Interstate Commerce Commission gave permission to the federal government.
    (D) President Cleveland requested this authority from Congress in 1887.

24. Which of the following best describes the transportation situation in major United States cities in the early 1880's?
    (A) The railroad industry had achieved stability.
    (B) There was extensive competition between railroads and other forms of transportation.
    (C) High prices for tickets kept many people from using rail services.
    (D) There was a surplus of railroad lines and services.

The questions for this passage continue on the next page.

The following questions are based on the passage on page 110.

25. The author mentions Chicago and New York in line 15 in order to
    (A) give examples of cities that received poor rail service
    (B) give an example of a highly competitive route
    (C) point out that this route did not need to be regulated
    (D) emphasize how cities worked together to achieve government regulation

26. The word "prevail" in line 16 is closest in meaning to
    (A) succeed
    (B) prevent
    (C) search
    (D) organize

27. According to the passage, which of the following was true of the rebates mentioned in line 17 ?
    (A) Railroads were not able to raise rates sufficiently to be profitable.
    (B) Shippers objected to paying rebates to railroads.
    (C) Rebates were an economic benefit for shippers that used more than one railroad.
    (D) Shippers paid lower rates if they favored one railroad.

28. According to the passage, which of the following was a technique used by railroad companies to decrease competition?
    (A) Building more rail lines and stations
    (B) Combining different companies that served an area
    (C) Raising prices for short periods of time
    (D) Disregarding government regulation

29. The phrase "in the absence of" in line 22 is closest in meaning to
    (A) due to the requirement of
    (B) because of the increase in
    (C) given the lack of
    (D) having the capacity to

30. Which of the following is NOT mentioned in the passage as a provision of the Interstate Commerce Act?
    (A) A railroad had to operate in two or more states to be included.
    (B) Prices had to be fair.
    (C) Rates were to be set by the federal government.
    (D) Companies were not allowed to form monopolies.

Section 3 continues.

Turn the page and read the next passage.

Questions 31-40

Film as a medium is intensely decision based. Each shot results from dozens of choices about such elements as camera placement, lighting, focus, and framing. Not only do things on the screen appear at the expense of others not shown, the manner in
Line which they appear depends on a selection of one perspective that eliminates (at least
(5) temporarily) all others.

Classical Hollywood (the period from about the 1920's through the 1940's) developed a formal paradigm precisely as a means for concealing these choices. Its ability to do so turned on the most basic procedure: the systematic subordination of every cinematic element to the interests of a movie's narrative. Thus, lighting remained
(10) unobtrusive, camera angles predominantly at eye-level, framing centered on the principal business of a scene. Similarly, cuts occurred at logical points in the action and dialogue. Certainly there were shots, scenes, and even movies that did not adhere completely to this tactic. The dominance of this procedure, however, insured the commercial failure of those few classical-period filmmakers who consistently made
(15) style itself the center of attention.

Hollywood cinema's habitual subordination of style to story encouraged the audience to assume the existence of an implied contract: at any moment in a movie, the audience would be given the optimum vantage point on what was occurring on screen. Anything important would not only be shown, but shown from the best angle.
(20) This contract could be violated only in the rarest moment, particularly in detective stories, where the audience yielded its normal right to omniscience for the sake of the story. But because these abridgments, too, were determined by narrative necessity, they went unnoticed. Thus, *The Maltese Falcon*'s deliberately tight framing that conceals the murderer did not shock the audience as a radical departure from the formal
(25) paradigm.

The apparently natural subjection of style to narrative in fact depended on a historical accident: the movies' origins lay in a late nineteenth century whose predominant popular arts were the novel and the theater. Had cinema appeared in an earlier era, it might have assumed the shape of the essay or lyric poem. Instead, it adopted the basic tactic and goal of the realistic novel.

31. Which of the following is NOT mentioned in the passage as one of the decisions that needs to be made when making a film?

(A) Who should play the main character
(B) Where the camera should be positioned
(C) How much light should be used
(D) What the focus of a scene should be

32. The phrase "at the expense of" in line 3 is closest in meaning to

(A) replaced by
(B) instead of
(C) in addition to
(D) regarding

33. According to the passage, the formal paradigm mentioned in the second paragraph developed in order to
    (A) imitate theatrical productions
    (B) avoid confusing moviegoing audiences
    (C) reduce the costs associated with filmmaking
    (D) disguise the decisions made in filming a movie

34. The word "predominantly" in line 10 is closest in meaning to
    (A) strongly
    (B) closely
    (C) mainly
    (D) relatively

35. It can be inferred that during the classical period, a movie that concentrated on style rather than on narrative would have been
    (A) seen by many audiences
    (B) respected by filmmakers
    (C) highly praised
    (D) financially unsuccessful

36. The word "habitual" in line 16 is closest in meaning to
    (A) customary
    (B) thoughtful
    (C) stubborn
    (D) eventual

37. The author mentions *The Maltese Falcon* in the third paragraph as an example of a movie that
    (A) was an enormous commercial success
    (B) made style the center of attention
    (C) required audiences to pay extremely close attention
    (D) required audiences to give up a normal expectation

38. What is the main point of the fourth paragraph?
    (A) If movies had developed in the late nineteenth century, they would have covered more historical topics.
    (B) If movies had developed at an earlier time, they might have assumed a different form.
    (C) When movies were first developed, theater was more popular than it is today.
    (D) After the introduction of movies, reading became a less popular activity than it had been.

39. The word "it" in line 29 refers to
    (A) poem
    (B) narrative
    (C) essay
    (D) cinema

40. According to the passage, movies are similar to realistic novels of the nineteenth century in their
    (A) goals
    (B) length
    (C) language
    (D) price

Questions 41-50

Aside from its academic interest, reconstruction of the Earth's geography and geology as the planet existed long ago can be valuable in the context of modern environmental geology. If certain kinds of mineral or energy resources are known to
Line have formed in particular geologic settings, geologists can look for those resources not
(5) only in the appropriate modern geologic environments, but in rocks that were forming in similar environments in the past.

Certain energy sources have been formed from plant or animal remains. Therefore, knowing the times at which particular groups of organisms appeared and flourished is helpful in assessing the probable amounts of these energy sources that are probably
(10) available and in concentrating the search for these fuels on rocks of appropriate ages.

The rock record shows when different plant and animal groups appeared. The earliest creatures left very few remains because they had no hard skeletons, teeth, shells, or other hard parts that could be preserved in rocks. The first multicelled oxygen-breathing creatures probably developed about 1 billion years ago, after oxygen
(15) in the atmosphere was well established. By about 600 million years ago, marine animals with shells had become widespread.

The appearance of organisms with hard parts — shells, bones, teeth, and so on — greatly increased the number of preserved animal remains in the rock record; consequently, biological developments since that time are far better understood.
(20) Dry land was still barren of large plants and animals half a billion years ago. In rocks about 400 million years old is the first evidence of animals with backbones — the fish — and also of some land plants. Insects appeared approximately 300 million years ago. Later, reptiles and amphibians moved onto the continents. The dinosaurs appeared about 200 million years ago, and the first mammals at nearly the same time. Warm-
(25) blooded animals took to the air with the development of birds about 150 million years ago, and by 100 million years ago, both birds and mammals were well established.

41. What is the main point of the first paragraph?
    (A) The Earth's geography long ago was quite different from its modern geography.
    (B) The Earth's geology is as diverse as its geography.
    (C) Certain kinds of rocks form under varying conditions.
    (D) Geologists can find modern applications for study of the ancient Earth.

42. According to the passage, why is it helpful to know the times at which particular groups of organisms appeared and flourished?
    (A) To determine what kind of rock formations were common during those times
    (B) To assess different hypotheses about the probable age of the Earth
    (C) To form a better idea of how those organisms interacted with their environment
    (D) To find rocks containing energy sources that were formed from the organisms

43. According to the passage, certain energy sources are
    (A) used in mining some kinds of minerals
    (B) derived from ancient plant and animal remains
    (C) more plentiful now than they were in the past
    (D) harmful to the environment

44. The word "assessing" in line 9 is closest in meaning to
    (A) selling
    (B) collecting
    (C) determining
    (D) forming

45. According to the third paragraph, the earliest life forms were not preserved well because they
    (A) existed in water
    (B) lacked hard parts
    (C) developed 600 million years ago
    (D) were too small

46. The word "they" in line 12 refers to
    (A) groups
    (B) creatures
    (C) remains
    (D) skeletons

47. According to the passage, when did oxygen in the atmosphere first become well established?
    (A) More than one billion years ago
    (B) Between ten million and 600,000 years ago
    (C) About 400 million years ago
    (D) Between 200 million and 150 million years ago

48. The word "marine" in line 15 is closest in meaning to
    (A) sea
    (B) land
    (C) complex
    (D) warm-blooded

49. The discussion of creatures in the fourth paragraph is organized according to the
    (A) sizes of the creatures
    (B) food source of the creatures
    (C) number of different creatures that existed in ancient times
    (D) times at which the creatures first appeared

50. Which of the following animals is NOT mentioned in the passage?
    (A) Worms
    (B) Birds
    (C) Fish
    (D) Dinosaurs

This is the end of Section 3.

If you finish before time is called, check your work on Section 3 only.

2. 各問題の分析と解説

1 Real Test 解答一覧

■ Section 1　Listening Comprehension
Part A
1. C　　2. D　　3. C　　4. A　　5. C　　6. A　　7. A
8. A　　9. B　　10. A　　11. A　　12. C　　13. D　　14. D
15. D　　16. B　　17. C　　18. D　　19. D　　20. C　　21. D
22. A　　23. A　　24. C　　25. A　　26. D　　27. B　　28. C
29. C　　30. D

Part B
31. A　　32. C　　33. D　　34. A　　35. C　　36. D　　37. D
38. D

Part C
39. A　　40. C　　41. D　　42. B　　43. B　　44. B　　45. D
46. D　　47. B　　48. B　　49. A　　50. C

■ Section 2　Structure and Written Expression
Structure
1. C　　2. D　　3. C　　4. A　　5. D　　6. C　　7. A
8. B　　9. D　　10. B　　11. B　　12. C　　13. D　　14. B
15. C

Written Expression
16. C　　17. A　　18. B　　19. D　　20. B　　21. C　　22. A

23. D   24. D   25. D   26. A   27. C   28. A   29. B
30. C   31. D   32. B   33. C   34. C   35. A   36. A
37. D   38. A   39. C   40. A

■ Section 3 Reading Comprehension

1. A   2. C   3. A   4. A   5. A   6. B   7. B
8. C   9. D   10. A   11. A   12. D   13. A   14. C
15. C   16. B   17. D   18. D   19. B   20. C   21. D
22. C   23. B   24. D   25. B   26. A   27. D   28. B
29. C   30. C   31. A   32. B   33. D   34. C   35. D
36. A   37. D   38. B   39. D   40. A   41. D   42. D
43. B   44. C   45. B   46. B   47. A   48. A   49. D
50. A

2 Listening Comprehension

■ Part A

1. ·正 解· (C)

·スクリプト·

W: No, no. I asked you to get me the economics test book, not the textbook.
M: Oh, no wonder the cashier looked at me that way.
Q: What can be inferred about the man?

·訳 例·

女性: 違う、違う。経済学の教科書 (textbook) じゃなくて、問題集 (test book) を買ってきてって頼んだのよ。
男性: そうか、どうりでレジの人があんなふうに見ていたわけだ。

2. 各問題の分析と解説

質問: 男性について何が推測できますか？
- (A) 彼は経済学を専攻している。
- (B) 彼は本屋へ行くのを忘れた。
- (C) 彼は違う本を買った。
- (D) 彼は女性に自分の本を売っている。

・解説・

女性の "I asked you to get me the economics test book." は、あらかじめ経済学の問題集を買ってくるよう頼んでおいたことを示唆しています。また、not 以下で男性が誤って問題集（test book）ではなく教科書（textbook）を購入したことがわかります。"test" と "text" の音の違いに注意しましょう。

2. ・正解・ (D)

・スクリプト・

M: It's almost noon. Are you about ready to head over to the cafeteria for lunch?
W: I can't. I'm expecting an important call from my doctor, so I need to stay by the phone.
Q: What does the woman mean?

・訳例・

男性: もうすぐお昼だよ。もう昼ごはんにカフェテリアへ行けそう？
女性: 行けないわ。お医者さんから大事な電話を待っているから、受話器のそばにいなくっちゃ。
質問: 女性は何を意味していますか？
- (A) 彼女は男性にカフェテリアで会う。
- (B) 彼女は家に電話をもっていない。
- (C) 彼女は医者に電話する時間がない。
- (D) 彼女は男性と昼ごはんを一緒に食べない。

・解説・

男性からお昼にカフェテリアに行けるか聞かれ、"I can't." と否定していま

す。また、"I'm expecting an important call from my doctor." から、女性がその場を離れられないことがわかります。

3. ・正解・ (C)

・スクリプト・

M: I can't find my wallet! And it has more than a hundred dollars in it!
W: Calm down a minute. Have you checked the coat you had on this morning?
Q: What does the woman suggest the man do?

・訳 例・

男性：財布が見つからないんだ！ 100ドル以上も入っているのに！
女性：ちょっと落ち着いてよ。今朝着ていたコートを調べてみた？
質問：女性は男性に何をするように提案していますか？

　(A) クローゼットの中を探す。
　(B) 新しい財布を買う。
　(C) コートのポケットの中を見てみる。
　(D) コートを脱ぐ。

・解 説・

財布をなくした男性に対して、女性は今朝着ていたコートを調べるように言っています。つまり、コートのポケットの中を調べるように言っているため、(C) が正解です。コートを探すわけではないので、(A) のクローゼットの中を探すことには触れられていません。

4. ・正解・ (A)

・スクリプト・

W: I waited for you at the library for more than 30 minutes yesterday. Weren't we supposed to meet at noon?
M: Oh that's right! I'm sorry, I've been so wrapped up in my science project it just slipped my mind.

2. 各問題の分析と解説

Q: What does the man mean?

・訳 例・

女性： 昨日、図書館で 30 分以上待ったのよ。12 時に会うことになってなかった？
男性： そうだった！ ごめん、科学のプロジェクトにすごく夢中になっていて、つい忘れてた。
質問： 男性は何を意味していますか？

(A) 彼は女性との約束を忘れた。
(B) 彼は科学のプロジェクトを時間どおりに終えなかった。
(C) 彼は女性の科学のプロジェクトを手伝ってあげられない。
(D) 彼は 30 分後に図書館で女性と会う。

・解 説・

"slip one's mind" は「うっかり忘れる」という意味です。この意味を知らなくても、女性が昨日 30 分以上も待ったということに対して男性が謝っていることを聞き取ることができれば、(A) の解答が適切だと推測できます。

5. ・正 解・ (C)

・スクリプト・

W: This is the most boring dormitory party I've ever been to.
M: It certainly could use some livening up.
Q: What does the man imply?

・訳 例・

女性： これって、今まで出たなかでいちばん退屈な寮パーティだわ。
男性： たしかに、何か盛り上げる手を使えばよいのに。
質問： 男性は暗に何を言っていますか？

(A) 彼は前に一度も寮パーティに出たことがない。
(B) 彼は寮の自分の部屋が好きでない。
(C) 彼は女性に賛成している。
(D) 彼はパーティがあまりにうるさすぎると思う。

「本物のテスト」問題にチャレンジ

・解 説・

男性のセリフに出てくる "it" は、"the dormitory party" を指しています。"livening up" は「活気づけること、盛り上げること」、"could" は「～してもよいのに」という不満・いらだちを示しますので、"it certainly could..." は、「何か盛り上げるような手を使えばよいのに」という意味です。よって、パーティが退屈だと言っている女性に、男性も賛同していることがわかります。

6. ・正 解・ (A)

・スクリプト・

M: I've got three exams tomorrow! I can't possibly study for all of them!
W: I'm just glad I'm not in your shoes!
Q: What does the woman mean?

・訳 例・

男性：明日、試験が3つあるんだ！ とても全部は勉強できないよ。
女性：同じ運命じゃなくてよかった！
質問：女性は何を意味していますか？
　(A) 彼女は男性ほどたくさん試験がなくてうれしい。
　(B) 彼女は男性が勉強するのを手伝えない。
　(C) 彼女はテストで男性ほどよい成績が取れないだろう。
　(D) 男性は不満を言うべきではない。

・解 説・

男性は試験が3つもあって全部はとても勉強できないと嘆いています。女性のセリフに出てくる "be in one's shoes" は、「だれかの境遇に身を置く」という意味のイディオムです。ここでは否定形なので、女性のセリフの意味は「あなたの境遇ではなくてよかった」となります。この場合の「あなたの境遇」が意味するのは、男性の3つ試験を受けなければならないという状況のことです。

124

2. 各問題の分析と解説

7. ·正 解· (A)

·スクリプト·

W: My roommate Karen makes the best salads. I don't understand why mine never taste as good as hers.

M: It's not such a mystery — she's a vegetarian and has simply perfected the art.

Q: What does the man mean?

·訳 例·

女性：ルームメイトのカレンって最高のサラダを作るのよ。私のはどうして彼女のサラダみたいにいい味にならないのか、わからないわ。

男性：そう不思議なことじゃないよ。彼女はベジタリアンで、たんにその技をきわめたってことだよ。

質問：男性は何を意味していますか？

(A) カレンはサラダを作る経験が豊かだ。
(B) おいしいサラダを作るのは簡単だ。
(C) 女性のサラダもカレンのと同じくらいおいしい。
(D) 彼は、なぜカレンのサラダがそれほどおいしいのかよくわからない。

·解 説·

男性のセリフに出てくる "perfect the art (of …)" は「(〜の) コツをマスターする」という意味です。男性は、カレンがベジタリアンで、サラダをよく作るから、コツをマスターしたと考えていると推測できます。よって、(A) の選択肢が適切です。

8. ·正 解· (A)

·スクリプト·

W: Do you think you could help me get a new couch into my apartment this weekend?

M: Didn't you make arrangements to have it delivered? That'd be easier and it's free.

Q: What does the man suggest the woman do?

・訳 例・

女性：今度の週末に新しいソファをアパートにいれるのを手伝ってもらえそうかしら？
男性：配達してもらうようにしなかったの？ そのほうが簡単で、おまけに無料だよ。
質問：男性は女性に何をするように提案していますか？
　(A) 店にソファを配達してもらう。
　(B) ソファを割引してもらう。
　(C) ソファの配達を遅らせる。
　(D) アパートの家具の配置を変える。

・解 説・

男性のセリフに出てくる "make arrangements to have it delivered" は、「それを配達してもらう手配をする」という意味です。男性は女性に対し(お店に)配達してもらうことをすすめています。(D) の Rearrange と間違えないようにしましょう。

9. ・正 解・ (B)

・スクリプト・

W: The opening of the new photo exhibit was great. I thought you said you were coming, too — to meet the artist.
M: [*surprised*] Oh, no. That was last weekend?
Q: What can be inferred about the man?

・訳 例・

女性：新しい写真展のオープニング、すばらしかったわ。あなたも来るって言ってたと思ったけど、アーティストに会いに。
男性：[驚いて] ええ、そんなあ。あれ、先週末だったの？
質問：男性について何が推測できますか？

2. 各問題の分析と解説

(A) 彼は写真展が終わったと思っていた。
(B) 彼は写真展がいつ始まるかについて思い違いをしていた。
(C) 彼は写真展を先週末に見た。
(D) 彼は写真家に会うことに興味がなかった。

・解 説・

女性に「(写真展のオープニングに) 来るって言っていたと思った」と言われ、驚いて「それ先週だったの？」と聞いているので、男性が写真展の始まる日を勘違いしていたことがわかります。ここで "last weekend" の "last" が強調されているように、重要な情報はしばしば強調されます。

10. ・正 解・ (A)

・スクリプト・

W: [*with disapproval*] Are you going to buy that? I'm not sure I like it on you.
M: Well, it is comfortable — perfect for our trip. Maybe I'd better find a mirror so I can see how it looks.
Q: What is the man doing?

・訳 例・

女性：[とがめるように] それを買うつもりなの？ あなたにあまり似合ってない気がするんだけど。
男性：でもまあ、着心地がいいし、僕らの旅行にぴったりさ。鏡を探したほうがいいかもね、自分がどんなふうに見えるかわかるし。
質問：男性は何をしていますか？

(A) 服を試着している。
(B) 鏡を買っている。
(C) 旅行の荷作りをしている。
(D) 旅行の本を見ている。

・解説・

女性のセリフに出てくる "I'm not sure I like it on you" の "on" が聞き取れれば、服を試着していることがわかります。また、鏡を見ればどんなふうに見えるかわかる、と言っていることからも、服を試着していることが推測できます。

11. ・正解・ (A)

・スクリプト・

M: [*grunt of disgust*] Ugh, I can't figure out why I can't get my computer to print.
W: Did you check the cables? Sometimes they just get loose.
Q: What does the woman suggest the man do?

・訳 例・

男性：［苦々しげに］ああ、僕のコンピュータがどうして印刷してくれないのかわからないよ。
女性：ケーブルをチェックした？　ときどき、ちょっとゆるむのよ。
質問：女性は男性に何をするように提案していますか？

（A）ケーブルがきちんと接続されているかを確かめること
（B）新しいプリンターを入手すること
（C）プリンターのケーブルを取り換えること
（D）コンピュータを調べて、なくなったファイルを探すこと

・解説・

女性は男性にケーブルがときどきゆるむことを伝えているので、（A）の「ケーブルがきちんと接続されているかを確かめること」が適切な解答です。（C）の選択肢では、ケーブルを取り換えることになるので不適切です。

12. ・正解・ (C)

・スクリプト・

W: I'm going out to the golf course this afternoon. Would you like to

come along? I could use a few pointers on my game.
M: I'd be glad to, but I'm not sure what I could show you.
Q: What does the man mean?

・訳 例・

女性：今日の午後、ゴルフコースへ出かけるの。一緒に来る？ 何か試合の参考になるヒントがほしいわ。
男性：喜んで。でも、君に教えられるほどのものがあるか、わからないけど。
質問：男性は何を意味していますか？
　(A) 彼はゴルフコースへの行き方を知らない。
　(B) 彼は、午後はたぶん時間が空いていない。
　(C) 彼は彼女よりゴルフがうまくないかもしれない。
　(D) 彼は、女性が自分の道具をもっているのがうれしい。

・解 説・

"pointers" は「ヒント」という意味で使われています。アドバイスしてほしい女性に対して、"I'm not sure what I could show you."（僕があなたに何を教えられるかわからないけれど）と2人を対比するように強調して答えていることから、自分が彼女よりもゴルフがうまくないことを示唆しています。

13. ・正 解・ (D)

・スクリプト・

M: I think I'll take three of these tablets. My head is killing me!
W: You'd better read the label carefully first.
Q: What does the woman imply the man should do?

・訳 例・

男性：この錠剤を3錠飲むよ。頭が痛くて死にそうだ！
女性：最初にラベルをしっかり読んだほうがいいわよ。
質問：女性は、この男性は何をすべきだと暗に言っていますか？
　(A) 頭痛がおさまるのを待つ。

（B）かわりに本を読む。
（C）別の種類の薬を飲む。
（D）正しい服用量がどれだけか調べる。

・解説・

最初にラベルを読むことをアドバイスしていることから、薬ビンのラベルに関する選択肢を探します。可能性のある（C）と（D）のうち、男性が最初に錠剤を3錠飲むと言っていることから、薬の種類ではなく、（D）の「薬の服用量」を確かめるように促したと考えられます。

14. ・正解・ （D）

・スクリプト・

M: I thought you weren't planning to come home for supper.
W: Oh, but I was.
Q: What does the woman mean?

・訳例・

男性：君は夕食を食べに家へ帰ってこないと思ってたんだけど。
女性：そう？ 私は食べに帰ってくるつもりだったのよ。
質問：女性は何を意味していますか？

（A）彼女は夕食を食べるつもりではなかった。
（B）彼女は夕食のために手を洗っている。
（C）彼女は家に帰りたくなかった。
（D）彼女は家で食べるつもりだった。

・解説・

"I was" の後には "planning to come home for supper" が省略されています。また、"was" を強調することで、男性の言った "weren't" を否定する意図もこめられています。したがって、男性は女性が夕食を家で食べないと思っていたのに対し、女性は食べるつもりだったことがわかります。

2. 各問題の分析と解説

15. ・正 解・ (D)

・スクリプト・

M: I'm really looking forward to taking up piano this semester.
W: I hope you do better than I did when I took lessons. I just don't have an ear for music.
Q: What does the woman mean?

・訳　例・

男性: 今学期、ピアノを始めるのがほんとうに楽しみなんだ。
女性: 私がレッスンを受けた時より上手にできるといいわね。私はちっとも音楽のセンスがないのよ。
質問: 女性は何を意味していますか？
　(A) 男性はピアノを上手に弾く。
　(B) 男性はピアノのレッスンを受けることを考え直すべきだ。
　(C) 彼女は音楽を聞くのが楽しいと思わない。
　(D) 彼女には音楽の才能がない。

・解　説・

女性のセリフに出てくる "have an ear for music" は「音楽を聞く耳をもっている、音楽の才能がある」という意味です。ここでは否定形で使われているので、「私には音楽のセンスがないの」と言っていることになります。

16. ・正 解・ (B)

・スクリプト・

W: Did you pick up some French bread at the bakery?
M: A sign on the window said: "Closed. Please call again."
Q: What does the man mean?

・訳　例・

女性: パン屋でフランスパンを買ってきてくれた？
男性: 窓に掲示があって、「閉店。またお越しください」だってさ。

質問：男性は何を意味していますか？

(A) 彼はパン屋へまた電話する必要があった。
(B) パン屋は開いていなかった。
(C) パン屋ではパンが売り切れていた。
(D) パン屋はフランスパンを作っていない。

・解 説・

"call" の自動詞には「電話をかける」のほかに「立ち寄る」という意味もあります。パン屋の窓の掲示に「閉店」と貼ってあったことから、"please call again" はここでは「電話をしてください」ではなく、「またお越しください」という意味に解釈するのが自然です。したがって、(B) の「パン屋は開いていなかった」が適切な選択肢です。

17. ・正 解・ (C)

・スクリプト・

M: I'm nervous about the job interview I have this afternoon.
W: Relax. Just let them know about your background. It's perfect for the job.
Q: What does the woman suggest the man do?

・訳 例・

男性：今日の午後受ける就職の面接、心配だなあ。
女性：リラックスしなさいよ。経歴を知ってもらいさえすればいいの。その仕事にぴったりなんだから。
質問：女性は男性に何をするように提案していますか？

(A) 面接に早めに行く。
(B) リラックスするために少し運動する。
(C) 面接官に自分の資格について話す。
(D) 面接に新しいスーツを着ていく。

2. 各問題の分析と解説

・解 説・

"background" は「経歴」という意味です。4つの選択肢のうち経歴を伝えることにもっとも近いのは、今までに自分が取得した "qualifications"（資格）について話すことです。

18. ・正 解・ (D)

・スクリプト・

M: I really don't see the value of these modern paintings. They look like the kind of pictures my four-year-old nephew paints.
W: And I'll bet he uses brighter colors, too!
Q: What can be inferred about the speakers?

・訳 例・

男性：こういう現代絵画の価値っていうのは、どうも僕にはわからないよ。どれも4歳の甥が描く絵みたいに見える。
女性：しかもその子だってきっともっと明るい色を使うでしょうね！
質問：話し手たちについて何が推測できますか？
　(A) 彼らはだれがその絵を描いたか知らない。
　(B) 彼らは、現代絵画は創造的だと考えている。
　(C) 彼らは、子供たちは絵の描き方を教わるべきだと考えている。
　(D) 彼らはその絵が好きではない。

・解 説・

"I really don't see the value"（その価値が全然わからない）と言った男性に対し、女性も「甥っ子だってもっと明るい色を使うでしょうね」と男性の言ったことに賛同しているので、2人とも絵画を気に入っていないことがわかります。

19. ・正 解・ (D)

・スクリプト・

M: Are you flying, or taking the train home for the summer?

W: Neither. Since I've got this job at the university library, my parents are just going to come visit sometime in July.
Q: What does the woman mean?

・訳 例・

男性： 夏は飛行機で帰省するの？　それとも列車？
女性： どっちでもないわ。私が大学図書館でこの仕事に就いたから、両親のほうが7月中に訪ねてくるのよ。
質問： 女性は何を意味していますか？
　(A) 彼女は両親の車に乗せてもらって家へ帰る。
　(B) 彼女は7月まで家へ帰れない。
　(C) 彼女は夏休みの前に仕事を辞めた。
　(D) 彼女は夏に帰省する予定がない。

・解 説・

「飛行機で帰省するのか、列車で帰省するのか」と男性に聞かれ、女性は「どちらでもない。図書館の仕事に就いたから、両親が自分を訪ねてくるの」と答えているので、(D) の「帰省をしない」が適切です。残りの (A) から (C) の選択肢については、どれも言及されていません。

20.　・正 解・　(C)

・スクリプト・

W: Do you have any idea when tonight's rehearsal will be over?
M: Beats me. You could try asking Jeff.
Q: What does the man mean?

・訳 例・

女性： 今夜のリハーサルがいつ終わるか知ってる？
男性： さあね。ジェフに聞いてみたら。
質問： 男性は何を意味していますか？
　(A) ジェフは彼女にリハーサル会場への行き方を教えられる。

(B) 女性はジェフにリハーサルへ来るように言うべきだ。
(C) ジェフが、いつリハーサルが終わるか知っているかもしれない。
(D) 彼はジェフがリハーサルに来るかどうか知らない。

・解 説・

男性は、女性にリハーサルがいつ終わるか聞かれて、"Beats me."（さっぱりわからない）と答えた後、「ジェフに聞いてみたら」と答えています。よって、(C)の「ジェフならいつ終わるか知っているかもしれない」が適切です。

21. ・正 解・ (D)

・スクリプト・

W: The music we were playing last night didn't disturb you, did it?
M: [*sarcastically*] I was trying to get some work done.
Q: What does the man imply about the music?

・訳 例・

女性：昨日、私たちがかけていた音楽、迷惑じゃなかったわよね？
男性：[皮肉をこめて] 仕事を片づけようとしてたんだけどね。
質問：男性はその音楽について暗に何を言っていますか？

(A) 彼は音楽を消さなければならなかった。
(B) 彼には音楽が聞こえなかった。
(C) 彼は仕事をしながら音楽を聞いて楽しんだ。
(D) 彼には音楽が迷惑だった。

・解 説・

女性に音楽が迷惑ではなかったか尋ねられて、男性は「仕事を終わらせようとしていたんだよ」と答えています。"was trying"と作業中であったことを強調していますので、音楽がうるさかった、迷惑だったことが暗にわかります。

22. ・正 解・ (A)

・スクリプト・

W: The election's tomorrow. Do you want to help me put up some more campaign posters?
M: I don't see why we should bother. The people who are going to vote have already made up their minds.
Q: What does the man imply?

・訳 例・

女性： 明日が選挙よ。キャンペーンのポスターをもうすこし貼るの手伝ってくれる？
男性： いまさら気にすることないよ。投票するつもりの人たちは、もう決めているよ。
質問： 男性は何を暗に言っていますか？
　(A) いまからポスターを貼るのは時間の無駄だ。
　(B) ほとんどの人がすでに投票した。
　(C) 選挙の結果がすでに掲示された。
　(D) 多くの有権者が決めかねている。

・解 説・

女性に選挙のポスターを貼る手伝いを依頼されて、男性は「投票する人たちはもう（だれに入れるか）決めているよ」と答えてポスターの効果がないと伝えています。よって、「いまからポスターを貼っても時間の無駄」という意味の (A) が適切な選択肢です。

23. ・正 解・ (A)

・スクリプト・

W: Jessie's doing well in chemistry now, isn't she?
M: Yes, she's really come a long way.
Q: What does the man say about Jessie?

2. 各問題の分析と解説

・訳 例・

女性： ジェシーって、いま、化学の成績がいいわよね。
男性： ああ、ほんとうに成長したよ。
質問： 男性はジェシーについて何を言っていますか？

(A) 彼女はとても進歩した。
(B) 彼女はつねに化学が得意だった。
(C) 彼女は学校まで長い距離を通う。
(D) 彼女は化学を何時間も勉強している。

・解 説・

"come a long way" には「大きな成長を遂げる」という意味があります。よって、(A) の「彼女はとても進歩した」がもっとも適切な選択肢です。

24. ・正 解・ (C)

・スクリプト・

M: I give up! I'll never learn how to ski as well as you!
W: Don't be discouraged. Remember, I practically grew up on skis.
Q: What does the woman imply?

・訳 例・

男性： もうあきらめるよ！ 君みたいにスキーがうまくなんてならないよ。
女性： 気を落とさないで。忘れたの？ 私はスキーをはいて育ったようなものなのよ。
質問： 女性は何を暗に言っていますか？

(A) 男性は前よりずっとスキーが上手になっている。
(B) 男性は、スキーがうまくなるのに必要な能力が欠けている。
(C) 男性は彼女と自分の能力を比べるべきでない。
(D) 男性は子供のときにスキーのレッスンを受けるべきだった。

・解 説・

スキーが女性ほど上手ではない男性に対する女性の受け答えが問題となっ

ています。"grew up on skis" は「スキーをはいて育った」という意味なので、女性は男性よりスキーをしてきた経験が明らかに長いことを示して男性を励ましています。よって、経験の長さが違うのに能力を比べるべきでないとする (C) が適切です。

25. ・正 解・ (A)

・スクリプト・

 W: Your neighbors used to grow the most wonderful peaches!
 M: You have a good memory. The tree went down in a storm a few years ago, and I'd completely forgotten about it.
 Q: What does the man imply?

・訳 例・

 女性：あなたの近所の人が最高にすばらしいモモを育てていたわ！
 男性：よく覚えているねえ。あの木は何年か前に嵐で倒れて、そんなことすっかり忘れていたよ。
 質問：男性は何を暗に言っていますか？

  (A) 近所の人はもうモモを育てていない。
  (B) 彼は近所の人にモモをくれるように頼むのをいつも忘れる。
  (C) 彼は、女性が何のことを言っているのかよく分からない。
  (D) 近所の人は、嵐の後で新しいモモの木を植えた。

・解 説・

 女性のセリフの "used to grow" は「かつて育てていた」つまり、今は育てていないことを示しています。男性は「桃の木は数年前に嵐で倒れ、そのことをすっかり忘れていた」と答えているので、近所の人はもう桃の木を育てていないことがわかります。

2. 各問題の分析と解説

26. ・正解・ (D)

・スクリプト・

W: Jack's plan to move across the country and start his own business is really brave, but I hope he knows what he's doing.
M: Oh, I know. I can't help but wonder how he's ever going to manage it.
Q: What does the man mean?

・訳 例・

女性：ジャックの国中を駆け回って自分のビジネスを始めようっていう計画はほんとうに勇気があるけど、でも、自分のしていることがわかっていればいいけどね。
男性：ああ、そのとおりだよ。ちゃんとやっていけるのかなって、思わずにはいられないよ。
質問：男性は何を意味していますか？
（A）彼はジャックの会社の経営者を知っている。
（B）彼はジャックの引越しを手伝いたい。
（C）彼はジャックがビジネスを経営するのを手伝えなくて残念だ。
（D）彼はジャックの計画が成功するか、疑問に思っている。

・解 説・

男性のセリフに出てくる "can't help but wonder …" は「～と思わずにはいられない」という意味です。（B）と（C）は help を「助ける」という意味で使用しているので、適切ではありません。また、how 以下の部分は「どうやってやっていくのか」という意味ですが、"ever" をつけることで「いったいどうやって」、と不審な気持ちを強調しています。よって、（D）の「成功するか疑問に思っている」がもっともふさわしい選択肢と言えます。

27. ・正解・ (B)

・スクリプト・

M: I hear that Professor Jones is going to be on the news tonight. Could

I come over and watch it?
W: Well, a bunch of us from class are going to [gonna] go over to Dave's to watch it. Want to [Wanna] join us?
Q: What will the speakers probably do this evening?

・訳　例・

男性：ジョーンズ先生が今日のニュースに出るそうだね。君の家に行って見てもいい？
女性：えっと、クラスのみんなでデーブの家で見ることにしてるんだけど、一緒に見たい？
質問：話し手たちは今晩おそらく何をするでしょうか？
　（A）自宅にいて、そのニュースを見る。
　（B）クラスメイトの家でその番組を見る。
　（C）ジョーンズ先生にそのニュースを伝える。
　（D）デーブの家でジョーンズ先生に会う。

・解　説・

"gonna" は "going to" の、"wanna" は "want to" の短縮形です。女性が「みんなはクラスメイトの家に集まってテレビを見る」ことを伝え、仲間に入るか誘っていることから、男性もクラスメイトの家でみんなと一緒にテレビを見ることが予想されるので、（B）がもっとも適切な選択肢です。

28. ・正　解・　（C）

・スクリプト・

W: I've been combing the classifieds for an apartment.
M: I think there're some good rentals on the bulletin board outside the student center.
Q: What does the man suggest the woman do?

・訳　例・

女性：広告欄をくまなく見て、アパートを探しているの。

男性：学生センターの外の掲示板に何かいい賃貸が出ていると思うよ。
質問：男性は女性に何をするよう提案していますか？

(A) 新聞に広告を出す。
(B) 学生新聞の「貸しアパート」の欄を見る。
(C) キャンパスに貼り出された掲示をチェックする。
(D) 学生センターの近くにあるアパートをいくつか見る。

・解説・

"comb" は「髪をとかす」という意味のほかに「細かく調べる」という意味があり、ここでは後者の意味で使われています。広告欄を見てアパートを探している女性に対して、男性は学生センターの外の掲示板によい賃貸の情報があったと話しているので、これを言い換えている (C) が適切な選択肢です。

29. ・正解・ (C)

・スクリプト・

W: Look at it pour! So much for our tennis game.
M: Yeah, and since it's supposed to keep up all night, we ought to forget about tomorrow's lunch game too.
Q: What does the man imply?

・訳例・

女性：この降り方を見て！ テニスのゲームはここまでね。
男性：そうだね、それに、一晩中続くっていうことだから、明日の昼の試合もやめにしなきゃあいけないね。
質問：男性は暗に何を言っているでしょうか？

(A) 女性にランチのデートを忘れないでほしい。
(B) いますぐ使えるテニスコートがいくつかある。
(C) テニスコートがびしょびしょで、試合ができないだろう。
(D) 彼は明日、試合を続けたい。

・解説・

"Look at it pour" の it は天候を表す it です。"so much for …" で「～はあきらめるしかない、ここまでだ」という意味です。雨が "keep up all night"（一晩中降り続ける）ため、テニスコートが濡れて翌日の昼も試合ができないことが予想されます。

30. ・正解・ (D)

・スクリプト・

M: The phone will be installed tomorrow.
W: Oh, so you did order it.
Q: What had the woman assumed?

・訳例・

男性：明日、電話が据えつけられるよ。
女性：あら、じゃあ注文してたのね。
質問：女性は何と思っていたのでしょうか？
　(A) 彼はすでに電話を受け取った。
　(B) 電話はすぐに据えつけられるだろう。
　(C) 電話はすでに注文してあった。
　(D) 電話はまだ注文されていない。

・解説・

"Oh, so you did order it." (もう注文してたのね) と注文していたことを強調して確認しています。わざわざ確認するということから、女性は男性がまだ電話を注文していなかったと考えていたはずなので、(D) がもっともふさわしい選択肢です。

2. 各問題の分析と解説

■ Part B

Questions 31–34

・スクリプト・

N: Listen to part of an interview between a student newspaper reporter and a professor.

W: Professor Smith, let me make sure my information is accurate. The title of your book is *Moving People: The New York Subway and Urban Development*. It's 312 pages long and it will be published next month.

M: That's right. You should be sure to make clear that I'm not the sole author. My coauthor is Kathleen Douglas.

W: Yes. I have that. So why write about the subways?

M: I'm a cultural historian, and I'm interested in the impact of technology on people's lives. The subways increased everyone's mobility. How cheap, efficient transportation changed life in New York — that's really the focus.

W: Have the subways been around a long time?

M: Some unsuccessful attempts were made as far back as 1870's, but the history of the subways really begins with the founding of the IRT, the Interborough Rapid Transit Company, in 1900. Today we call it the IRT.

W: So the IRT built the first subway in 1900?

M: They started work in 1900, but it took four years to dig the tunnel and lay the track for the first line.

W: And it was a success?

M: Oh, yes. People knew it would transform their lives — a hundred thousand rode the train the first day. I've got some great pictures of that day.

W: Are they in the book?

M: Yes. Those and quite a few others. Actually, Kathleen collected the photographs. I was going over this set when you arrived.

「本物のテスト」問題にチャレンジ

・訳 例・

ナレーション：学生新聞の記者の教授へのインタビューの一部を聞きなさい。

女性：スミス先生、手元の情報が正確か、確認させてください。著書のタイトルは、*Moving People: The New York Subway and Urban Development*（『移動する人々──ニューヨークの地下鉄と都市開発』）。全部で312ページで、来月出版ですね。

男性：そのとおりです。ただ、私ひとりが著者ではありませんので、そのことを明確にしてください。共著者はキャサリン・ダグラスです。

女性：ええ、存じています。では、なぜ地下鉄についてお書きになるのでしょう？

男性：私は文化歴史学が専門で、技術が人々の生活に与える影響に関心があります。あの地下鉄のおかげで、すべての人が移動しやすくなりました。安くて効率的な輸送手段が、ニューヨークでの生活をどう変化させたか。それがまさに中心テーマです。

女性：あの地下鉄は、もう長い間あるのですか？

男性：1870年代までには、成功しなかったにせよすでにいくつか試みがありました。しかし、地下鉄の歴史がほんとうに始まるのは、1900年にIRT社、つまりInterborough Rapid Transit Companyが設立されてからです。今では、私たちはIRTと呼んでいますが。

女性：すると、IRTが1900年に最初の地下鉄を建設したのですか？

男性：1900年に作業を始めましたが、トンネルを掘って、線路をはじめて敷くのに4年かかりました。

女性：それで、成功だったのですか？

男性：ええ、そうです。人々は、それが自分たちの生活を変えるだろうとわかっていました。初日には10万人もの人が乗車したんですよ。当日のすばらしい写真を何枚かもっています。

女性：著書に入っていますか？

男性：ええ。それと、ほかの写真もかなり。実は、キャサリンがその写真を集めてくれたんです。あなたがいらっしゃったとき、私はちょうどこれらの写真に目を通していたところだったんですよ。

2. 各問題の分析と解説

31. ・正 解・ (A)

・スクリプト・

Q: What is the main topic of the interview?

・訳 例・

インタビューの中心テーマは何ですか？

(A) 新しい本
(B) 写真展
(C) 輸送に関する連続講演
(D) 都市輸送における最近の展開

・解 説・

　女性は1つ目のセリフで教授の著書について確認しています。そこで "your book"、"it will be published next month" などと言われていることから、(A) が適切です。(C) と (D) で言及されている "transportation" は、本の内容にあたります。

32. ・正 解・ (C)

・スクリプト・

Q: Who is Kathleen Douglas?

・訳 例・

キャサリン・ダグラスはだれですか？

(A) 学校新聞の編集者
(B) 教授の学生
(C) 本の共著者
(D) 地下鉄会社の役員

・解 説・

　インタビューの前半で、教授自身が "My coauthor is Kathleen Douglas."

と述べています（第 8 行目）ので、キャサリン・ダグラスは共著者であるとわかります。

33. ・正解・ (D)

・スクリプト・

Q: What aspect of the subway interests the professor?

・訳例・

地下鉄のどんな側面が教授の関心を引いているのですか？

(A) どのように資金が得られたか
(B) トンネルの工学
(C) 美術と文学における表象
(D) 都市生活への影響

・解説・

なぜ地下鉄について執筆したのかを尋ねられて、"the impact of technology on people's lives"（技術が人々の生活に与える影響）に興味があると答えています（第 10～11 行目）。"the impact of technology" を "The effects" に、"people's lives" を "city life" に書き換えた (D) が適切な選択肢と言えます。また、この後さらにくわしく "How cheap, efficient transportation changed life in New York — that's really the focus."（安くて効率的な輸送手段が、ニューヨークでの生活をどう変化させたか。それがまさに中心テーマです）と答えています（第 12～13 行目）。

34. ・正解・ (A)

・スクリプト・

Q: What will the professor probably do next?

2. 各問題の分析と解説

・訳 例・

教授は次におそらく何をするでしょうか？

(A) 記者に写真を何枚か見せる。
(B) 学生新聞の記事を読む。
(C) 地下鉄のトンネルがどのようにして建設されたかを説明する。
(D) ニューヨークの地下鉄系統の地図を調べる。

・解 説・

インタビューの後半で初めて人々が地下鉄に乗車した日の写真について話をしている場面です。教授は記者に「その写真に目を通していたところに君が来たんだよ」（第28行目）と言っていることから、その写真を記者に見せるのが適切な流れと言えます。よって、もっとも適切な選択肢は (A) です。

Questions 35–38

・スクリプト・

N: Listen to a conversation between two students who are members of the computer club.

M: Sorry to say this, Pam, but I think we're going to [gonna] have to [hafta] cancel tonight's planning meeting.
W: You're kidding, Tom. With the computer fair only two weeks away? Is the weather that bad?
M: Well, I just listened to the noon forecast on the radio, and the snow's supposed to [suppost'a] start between 2:00 [two] and 3:00 [three] and continue throughout the afternoon and evening. Some other campus clubs have already announced they're not meeting.
W: Gee… I'd hate to cancel though… There's so much to do to get ready.
M: I know what you mean, but if the weather's bad, we probably wouldn't get much of a turnout anyway. Remember how many

computer club members live far from campus.
W: Maybe you're right. And Kathy told me yesterday that the publicity's all taken care of…
M: And I've made the arrangements for the rooms we'll be using, so that's all set, too.
W: Sounds as if we're further ahead than I thought. Maybe we could just postpone the meeting till tomorrow night.
M: I think we'd better wait a couple of [couple'a] days until the roads clear. How about the day after tomorrow? I could get on the phone and let everyone know.
W: I'll split the list with you. That way we'll each have only ten calls to make.
M: Great. And when I talk to Sara, I'll find out how the response from the computer vendors has been.
W: Last I heard, there were about 20 software companies coming.
M: I guess everything's coming along all right then. Let's just hope we have good weather the day of the fair.

・訳 例・

ナレーション: コンピュータ・クラブのメンバー2人の学生の会話を聞きなさい。

男性: 残念だけど、パム、今夜の企画会議は中止にしないといけないと思うよ。
女性: 冗談でしょ、トム。コンピュータ・フェアまでたった2週間なのよ？天気はそんなに悪いの？
男性: それが、いまラジオで正午の予報を聞いたら、2時から3時の間に雪が降り始めて、午後から夕方いっぱい続くみたいだ。学内のほかのいくつかのクラブも、集まらないことにするって、もう発表しているよ。
女性: うーん、中止なんてしたくないな。準備のためにすることが山ほどあるんだから。
男性: 言いたいことはわかるよ、でも、天気が悪かったら、どっちみち出てくる人数はたぶん知れてるよ。キャンパスから遠くに住んでいる

2. 各問題の分析と解説

メンバーがどれだけいるか思い出して。
女性: あなたの言うとおりかもね。それに、キャシーが昨日、宣伝はぜんぶ手を回したって言っていたし……。
男性: それに、使うことにしている部屋の手配は僕がしたから、それもぜんぶ用意できてるし。
女性: 思ったより、私たち、ずっと進んでいるみたいね。もしかして、会議を明日の夜まで延ばしてもいいかもね。
男性: 僕は、道路の雪が片づくまで2、3日待ったほうがいいと思うよ。明後日はどう？ 電話して、みんなに知らせてもいいよ。
女性: リストを手分けしましょう。そうすれば、1人が10人に電話すればいいだけだから。
男性: よし。サラと話すとき、コンピュータ販売会社の返事がどうなっているか聞いてみよう。
女性: この前は、ソフトウェア会社が20社ほど来るって聞いたわ。
男性: それなら、万事順調にいってそうだ。フェア当日の天気がいいことだけ願っていよう。

35. ・正解・ (C)

・スクリプト・

Q: What are the speakers working on?

・訳 例・

話し手たちは、何に取り組んでいますか？

(A) コンピュータのクラスを立ち上げること
(B) コンピュータ・ソフトウェアの販売会社と会うこと
(C) コンピュータ・フェアの企画をすること
(D) コンピュータ会社への訪問を手配すること

・解 説・

パッセージの冒頭 "we're going to have to cancel tonight's planning meeting." (第3～4行目) から、企画会議を中止にしなければならないこと、その後の "With the computer fair only two weeks away?" (第5行目) からその企

画会議は2週間後のコンピュータ・フェアのためのものであることが推測されるため、(C)を選択します。

36. ・正 解・ (D)
・スクリプト・

Q: Why do the speakers decide to cancel the meeting?

・訳　例・

話し手たちは、なぜ会議を中止するのですか？
  (A) 前日、同じような集まりに出席したから
  (B) 活動に関心のあるメンバーが少なすぎるから
  (C) その晩は、部屋が使えないから
  (D) 天気が悪いかもしれないから

・解　説・

 第6行目で "Is the weather that bad?"「天気がそんなにも悪いのか」と尋ねたところ、天気予報と雪の話になるため、「悪天候になるかもしれないため」の (D) がもっとも適切な選択肢です。会議を中止することについて述べているところでは、"going to"、"have to" が聞き取りにくいので注意してください。

37. ・正 解・ (D)
・スクリプト・

Q: Where is the planning meeting scheduled to take place?

・訳　例・

企画会議はどこで行われる予定ですか？
  (A) コンピュータ・ソフトウェア会社
  (B) 大学から遠いところ

(C) 男性の家
(D) 大学のキャンパス

・解　説・

「悪天候の場合には多数の出席者を期待できない」(第 13～14 行目)に続いて、"Remember how many computer club members live far from campus."(14～15 行目)と多くのクラブメンバーがキャンパスから離れたところに住んでいることが話題になっています。よって、企画会議はキャンパスで行われるはずだったことが推測されます。

38. ・正　解・ (**D**)

・スクリプト・

Q: How are the speakers going to let club members know about the change in plans?

・訳　例・

話し手たちは、予定変更をクラブのメンバーにどのようにして知らせようとしていますか?
　　　(A) 男性がメンバー全員に連絡する。
　　　(B) ラジオを通して伝える。
　　　(C) 彼らが宣伝担当者に話をする。
　　　(D) 彼らがメンバー数人にそれぞれ電話する。

・解　説・

メンバー全員に電話で知らせることをかって出た男性に対して、女性がリストを分担することを提案しています ("I'll split the list with you. That way we'll each have only ten calls to make." 第 25～26 行目)。よって、(D) が適切と言えます。

■ Part C

Questions 39-42

・スクリプト・

N: Listen to an anthropologist introduce a presentation.

M: To continue our series of recordings from the museum's archives, this afternoon you will have the opportunity to hear a preeminent American Indian storyteller, Joseph Medicine Crow. This museum is fortunate to have some of the recordings of legends and other stories he has collected from his native Crow culture, which is one of the Plains Indian tribes.

To understand the significance of these recordings, it is important to remember that the history and traditions of Native Americans were not written down. Instead they were passed down from one generation to the next by tribal story tellers. Often these story tellers were specially trained. They were chosen for the role when young and charged with remembering and sharing their people's oral history—a tradition that no longer exists.

Joseph Medicine Crow recorded and saved the stories of his grandfather, one of the Crow tribe's last war chiefs. He also collected the memoirs of other tribal elders. Today, the traditional tribal story tellers Joseph Crow knew as a young man are all gone, so he must now gather information from their children and grandchildren.

Now we'll hear a tape of this great storyteller as he recounts a legend of the Crow people. The slides you will see accompanying this story are pictures of artifacts of various Plains Indian cultures.

・訳 例・

ナレーション: ある人類学者がプレゼンテーションを紹介するのを聞きな

2. 各問題の分析と解説

男性： ミュージアムのアーカイブから録音資料を紹介するシリーズの続きとして、今日の午後は、アメリカ・インディアンの卓越した語り部、ジョセフ・メディシン・クロウの話をお聞きいただきましょう。このミュージアムは、幸い、彼が収集してきたクロウ族文化の伝説やその他の物語の録音の一部を所蔵しています。クロウ族は平原インディアンの部族のひとつで、彼自身もその出身です。

これらの録音資料の重要性を理解するには、アメリカ先住民の歴史と伝統が文字で記録されなかったということを頭に入れておくことが大事です。代わりにそれらは部族のストーリーテラーによって世代から世代へと伝えられたのです。これらのストーリーテラーは、多くの場合、特別に訓練されていました。若いときにその役目のために選ばれ、部族の口承の歴史を記憶し、共有する仕事を担わされました——いまはもう存在しない伝統です。

ジョセフ・メディシン・クロウは、自身の祖父の物語を録音し集めておきました。祖父はクロウ族の最後の戦闘族長の一人でした。クロウは、部族のほかの長老たちの回想も収集しました。今日、ジョセフ・クロウが青年のときに知っていた伝統的な部族の語り部は全員亡くなってしまったため、現在、クロウは彼らの子供や孫たちから情報を集めなくてはなりません。

それでは、この偉大な語り部が、クロウ族の伝説を語るテープを一緒に聞きましょう。この物語といっしょにご覧になるスライドは、平原インディアンのさまざまな文化が生み出した品々の写真です。

39. ・正 解・ (**A**)

・スクリプト・

Q: What is the speaker's main purpose?

・訳 例・

話し手の主要目的は何ですか？

　(A) アメリカ先住民の伝説の録音資料を紹介すること
　(B) 若者に語り部になるようにすすめること
　(C) 口承と文字による伝承を比較すること

(D) 有名な物語を話すこと

・解 説・

冒頭に「今日は Joseph Medicine Crow という優れた先住民の語り手の話を聞くことになります」(第3〜4行目) とあり、さらに、彼が収集した彼の部族の伝説の録音資料に言及している (第5〜7行目) ので、(A) の「アメリカ先住民の伝説の資料を紹介する」が正解です。(B) のように、だれかに語り部になるようすすめる話はありませんし、(C) のように口承と文字による伝統を比較することもしていません。また、(D) の有名な物語を伝える、というのも話の趣旨とあっていません。話し手は、これから全員で鑑賞する録音資料の背景情報を紹介しています。

40. **・正 解・** (C)

・スクリプト・

Q: Why were storytellers important to Plains Indian cultures?

・訳 例・

語り部は、平原インディアンの文化にとって、なぜ重要だったのですか？
 (A) 彼らは子供に言葉を教えていたから
 (B) 彼らは部族から部族へニュースを運んだから
 (C) 彼らはその社会の歴史を保存したから
 (D) 彼らは族長を務めたから

・解 説・

アメリカ先住民の歴史と伝統は文字では保存されておらず ("the history and traditions of Native Americans were not written down" 第9〜10行目)、それらは部族の語り部によって世代間で伝承されているため ("Instead they were passed down from one generation to the next" 第10〜11行目)、その歴史を記憶して口承で共有する役割を担う ("charged with remembering and sharing their people's oral history" 第13～14行目）語り部がとても重要な存在であったと考えられます。よって、正解は (C) です。

41. ・正解・ (D)

・スクリプト・

Q: According to the lecture, why are Joseph Medicine Crow's recordings especially important now?

・訳　例・

講義によると、ジョセフ・メディシン・クロウの録音資料は、なぜ、いま特に重要なのですか？

　　(A) それ以前の録音資料より包括的であるから
　　(B) クロウ族に収入をもたらすから
　　(C) 今日の子供たちは、アメリカ先住民の物語が好きだから
　　(D) 録音資料がなかったら、物語は忘れられてしまうかもしれないから

・解　説・

　第3段落に、「ジョセフ・メディシン・クロウが、自分の部族の最後の首長である祖父の話を録音しただけでなく、部族のほかの長老たちからも回想を集めた」とあります。さらに、「今日ではその伝統的な部族の語り部がもう生存せず、彼らの子供や孫を通じて資料を集めなければならない」という現状を説明しているので、ジョセフ・メディシン・クロウの資料がきわめて重要であることがわかります。よって、(D) を選択するのが適切です。

42. ・正解・ (B)

・スクリプト・

Q: Why does Joseph Medicine Crow collect material from storytellers' children?

・訳　例・

ジョセフ・メディシン・クロウは、なぜ語り部の子供たちから資料を収集するのですか？

(A) 子供は大人よりも記憶力がよいから
(B) 伝統的な語り部が死んでしまったから
(C) 彼は子供たちの反応に興味があるから
(D) 語り部たちが忙しすぎてインタビューできないから

・解　説・

第 17〜19 行目に "Today, the traditional tribal story tellers Joseph Crow knew as a young man are all gone, so he must now gather information from their children and grandchildren." (今日では、ジョセフ・クロウが青年のとき知っていた伝統的な部族の語り部はすべていなくなり、そのため、クロウはいまでは、彼らの子供や孫たちから情報を集めなくてはなりません) と言及されています。

Questions 43–46

・スクリプト・

N: Listen to a message on an answering machine.

W: [*ring and phone filter*] Hello. You've reached the office of Jane Turner. I'm not able to answer the phone right now. Please leave a message at the tone, and I'll get back to you as soon as I can. [*tone*]

M: Hi, Dr. Turner. This is Richard Hudson. I just picked up your comments on the rough draft of my term paper — thanks a lot. I'll start revising it — using what you've given me, but before I get started, I have a few questions about your notes. First, I agree with you that the introductory paragraph is weak — I was planning to expand that anyway, and I'll start by following your suggestions. Second I don't understand what you mean by saying I should include more his-

2. 各問題の分析と解説

torical background about the topic. I'd like to talk with you specifically about this because I don't know how much information to include or how extensive it should be. Maybe I could meet with you tomorrow, or we could discuss it over the phone. If you could, please give me a call this afternoon, OK? I'll be in my dorm room then — but will be out tonight. Otherwise, I'll call you again tomorrow. Oh, and thanks again for your comments. They'll be really helpful. Bye.

・訳 例・

ナレーション：留守番電話のメッセージを聞きなさい。

女性：[電話の呼び出し音とコール・フィルターの音] こんにちは。ジェーン・ターナーの研究室です。ただいま電話に出ることができません。発信音の後にメッセージを入れてくだい。こちらからできるだけ早くお電話します。[発信音]

男性：こんにちは、ターナー先生、リチャード・ハドソンです。いま期末レポートの下書きへのコメントを受け取りました。ありがとうございます。指摘していただいたことを参考にして書き直しを始めます。でも、始める前に、メモについて2, 3質問があります。まず、イントロダクションのパラグラフが弱いという点は、僕も同感です。どちらにしても増やすつもりでいましたから、先生のご意見に従いながら始めます。2つめに、テーマについて歴史的背景をもっと含めるべきだということですが、これがどういうことかよく理解できません。どのくらいの情報を含めたらよいか、あるいは、どこまで範囲を広げるべきかがわからないので、とくにこの点について相談できたらと思います。明日お会いできますでしょうか。あるいは、電話で相談できますでしょうか。もしよろしければ、今日の午後にお電話をください。午後は寮の自分の部屋にいますが、夜は出かけています。もしくは、明日またお電話することもできます。えっと、それから、もう一度、コメントありがとうございました。ほんとうに助かります。失礼します。

43. ・正解・ （B）

・スクリプト・

Q: Why did the man call the woman?

・訳　例・

男性は、なぜ女性に電話したのですか？
　　（A）コメントを書き直すように頼むため
　　(B) 彼女がくれたメモについて話し合うため
　　（C）書き直しを彼女にいつ届けるべきかを聞くため
　　（D）なぜレポートが遅れるかを説明するため

・解　説・

　男性が冒頭で "I have a few questions about your notes."（メモについて 2, 3 質問があります）（第 8 行目）と話し、この後、女性のコメントの内容に関する感想や質問を述べているので、(B) が適切です。

44. ・正解・ （B）

・スクリプト・

Q: How does the man probably feel about the woman's comments?

・訳　例・

男性は、女性のコメントについて、どのように感じていると思われますか？
　　（A）同意していない。
　　(B) ありがたく思っている。
　　（C）腹を立てている。
　　（D）重要だと思っていない。

・解　説・

　冒頭で "thanks a lot."（第 6 行目）と述べ、コメントの後、最後にもう一度 "thanks again for your comments. They'll be really helpful."（第 18〜19 行目）

とお礼を述べていることから、(B) であると考えられます。

45. ・正 解・ (D)

・スクリプト・

Q: What is the relationship between the man and the woman?

・訳 例・

男性と女性はどのような関係ですか？
- (A) 彼らはクラスメイトである。
- (B) 彼らは一緒にリサーチをしている。
- (C) 彼女は彼の編集者である。
- (D) 彼女は彼の先生である。

・解 説・

冒頭で、"I just picked up your comments on the rough draft of my term paper — thanks a lot."（いま期末レポートの下書きへのコメントを受け取りました。ありがとうございます）(第5〜6行目) と述べていることから、男性が書いた期末レポートに女性がアドバイスをくれたことがわかります。"term paper" という用語から、女性は男性の先生にあたる存在だとわかります。

46. ・正 解・ (D)

・スクリプト・

Q: What does the man need more information about?

・訳 例・

男性は、何について情報をもっと必要としていますか？
- (A) レポートをいつ終わらせなければならないか
- (B) 適切なテーマの選び方
- (C) レポートの書き直しが必要かどうか

(D) どのような種類の情報をレポートにくわえたらよいか

・解　説・

第 10〜14 行目に "Second I don't understand what you mean by saying I should include more historical background about the topic. I'd like to talk with you specifically about this because I don't know how much information to include or how extensive it should be." とあります。まとめると、先生からの「歴史的背景をもっとくわえるように」とのコメントについて、男性は「どの程度の情報をどの範囲まで述べればよいかがわからない」と言っています。よって (D)「どのような種類の情報をレポートにくわえるか」が正解です。

Questions 47–50

・スクリプト・

N: Listen to part of a talk about honeybees.

W: Communication — what is communication? Some of you will say it is language. But is communication just limited to human language? You might be surprised to learn that scientists have discovered that honeybees have a form of communication that is as complicated and as effective as human language. Honeybees communicate by dancing. For example, when a honeybee finds food, it returns to its hive and performs a dance. This dance communicates a message about the food. Basically, there are three types of dances: the "round dance", "the sickle dance", and the "tail-wagging" dance. In all three dances, the number of turns in the bee's dance tells the other bees how far the food is from the hive. The angle of the bee's dance in relation to the Sun tells the direction of food from the hive.

　So you see, honeybees communicate using one form of nonverbal communication. Can anyone suggest another form of nonverbal communication used by animals?

2. 各問題の分析と解説

・訳 例・

ナレーション: ミツバチについての話の一部を聞きなさい。

女性: コミュニケーション——コミュニケーションとは何でしょうか？ みなさんのなかには、それは言語だと言う人もいるでしょう。しかし、コミュニケーションは、人間の言語にだけ限られているのでしょうか？ 科学者たちが、ミツバチは人間の言語と同じくらい複雑で効果的なコミュニケーション形態をもつと発見したと知ると、みなさんは驚くかもしれませんね。ミツバチはダンスでコミュニケーションをします。たとえば、1匹のミツバチが餌を見つけると、巣へ戻って、ダンスをします。このダンスが、その餌についてのメッセージを伝えるのです。基本的に、3タイプのダンスがあります。「丸型」「鎌型」「尾振り」です。3つのどのダンスも、ターンの数はほかのハチに餌が巣からどのくらいの距離にあるかを伝えます。太陽に対するダンスの角度は、その餌が巣からどの方向にあるかを伝えます。

　ですから、いいですか、ミツバチは非言語コミュニケーションの一形態を使ってコミュニケーションをするわけです。だれか、動物によって使われる別の非言語コミュニケーションの形態をあげられますか？

47. ・正 解・ (B)

・スクリプト・

Q: What aspect of honeybees does the speaker discuss?

・訳 例・

話し手は、ミツバチのどの側面を論じていますか？
　　(A) 餌をどのように楽しむか
　　(B) どのようにして相互にコミュニケーションするか
　　(C) 太陽にどのように依存するか
　　(D) どのようにしてさまざまなダンスを学ぶか

・解　説・

　冒頭で "communication" について述べ、その後ミツバチのコミュニケーション方法について言及しているので、(B) がもっとも適切な選択肢と言えます。

48. ・正　解・　(B)

・スクリプト・

Q: According to the speaker, what does the honeybee communicate through its dances?

・訳　例・

話し手によると、ミツバチはダンスによって何を伝えますか？
　　(A) 疲れたという合図
　　(B) 餌になるものに関する情報
　　(C) 自分の巣へのほかのミツバチの受け入れ
　　(D) 危険が近いという警告

・解　説・

　第8〜9行目に "This dance communicates a message about the food."（このダンスが、その餌についてのメッセージを伝えるのです）とあります。また、その後の説明で "In all three dances, the number of turns in the bee's dance tells the other bees how far the food is from the hive. The angle of the bee's dance in relation to the Sun tells the direction of food from the hive."（3つのどのダンスも、ターンの数はほかのハチに餌が巣からどのくらいの距離にあるかを伝えます。太陽に対するダンスの角度は、その餌が巣からどの方向にあるかを伝えます）（第10〜13行目）とあり、ダンスが、すべて、食べ物のありかを示していることがわかります。

2. 各問題の分析と解説

49. ・正 解・ (A)

・スクリプト・

Q: What does the speaker say about the honeybee's system of communication?

・訳 例・

話し手は、ミツバチのコミュニケーション・システムについて何を言っていますか？

  (A) 言語によるものではない。
  (B) 伝える情報が少ない。
  (C) 効果的ではない。
  (D) 複雑ではない。

・解 説・

 話のまとめとして、"honeybees communicate using one form of nonverbal communication."（ミツバチは非言語コミュニケーションの一形態を使ってコミュニケーションをするわけです）（第14〜15行目）と述べられています。

50. ・正 解・ (C)

・スクリプト・

Q: What does the speaker ask the listeners to do at the end of the talk?

・訳 例・

話し手は話の終わりに、聞き手に何をするように求めていますか？

  (A) ミツバチのコミュニケーションに関する章を読む。
  (B) 人間がコミュニケーションするさまざまな方法を議論する。
  (C) 動物のコミュニケーションの別のタイプの例をあげる。
  (D) コミュニケーションのさまざまな形態に関するレポートを書く。

・解 説・

 話の最後に "Can anyone suggest another form of nonverbal communication

Part 1

Part 2

Part 3

used by animals?"(だれか、動物によって使われる別の非言語コミュニケーションの形態をあげられますか?)(第 15~16 行目)とあります。"Can anyone suggest …?" で「何かほかにありませんか?」と聞いています。

3   Structure and Written Expression

■ Structure

1. ・正 解・ (**C**)

Telephone cables that use optical fibers can be *smaller and lighter than* conventional cables, yet they typically carry much more information.

・訳　例・

光ファイバーを使う電話ケーブルは、従来のケーブルより小さく軽いが、しかし、通常はずっと多くの情報を運ぶ。

・解　説・

　まず文の骨格である主語と動詞の関係に注目します。この文では主語が "Telephone cables" で、それに続く "that use optical fibers" はそれを修飾する関係代名詞節ですから、動詞は "can be" になります。よって、空欄には補語が来ると予想できます。ここで、補語にならない (A), (B) ははずれます。もし (D) だとすると、so … that 構文なので、"that" の後ろには文が来るはずです。しかし、後ろには "conventional cables" という単語しかありません。よって (C) が正解だとわかります。

2. ・正 解・ (**D**)

In making cheese, *casein, the chief milk protein*, is coagulated by enzyme action, by lactic acid, or by both.

2. 各問題の分析と解説

・訳 例・

チーズを作るとき、牛乳の主要たんぱく質のカゼインが、酵素作用か乳酸、あるいはその両方によって凝固する。

・解 説・

"In making cheese" という部分は「チーズを作るとき」という意味です。文の始めにありますが、前置詞から始まりますので、この文の主語ではありません。その後の "is coagulated" が動詞なので、空欄には主語が入ります。主語の体裁を整えているのは、同格の表現を伴う名詞である (D) ということになります。

(A) は節 (主語＋動詞…) ですから "is coagulated" の主語には不適切です。
(B) は "being that" という意味をなさない語句があり、不適切です。
(C) は節ですから主語には不適切です。

3. ・正 解・ (C)

Sensory structures *that grow* from the heads of some invertebrates are called antennae.

・訳 例・

ある種の無脊椎動物の頭部から生える感覚器は、触角と呼ばれる。

・解 説・

　一般的に、英語では基本的に文の最初に現れる名詞か名詞句が主語です（ただし、その名詞の前に前置詞があればそれは修飾句をつくるので主語ではありません）。この文の主語は "Sensory structures" です。また、"are called" という動詞の部分の前をみると、"some invertebrates" にも "the heads" にも前置詞があるので、どちらも修飾句で主語にはなりません。つまり、この文の構造は、"Sensory structures" が主語で、"are called" が述語動詞であると

わかります。よって、空欄は "Sensory structures" を説明する関係代名詞節を形成する (C) "that grow" が正しい選択肢です。

(A) を選ぶと、後半の "are called antennae" が続かないため不適切です。

(B) は接続詞なしで主語＋動詞が続いていますから不適切です。

(D) も (A) と同様に、後半の動詞に続くことができないため不適切です。

ここでは関係詞の用法を理解しているかどうかが鍵になります。

4. ・正 解・ (A)

Because of an optical illusion, the Moon appears to be larger *when it is* close to the horizon.

・訳 例・

目の錯覚で、月は地平線の近くにあるときに、より大きく見える。

・解 説・

　文法的には空欄の前の部分は完全な文の形になっていますから、意味のうえで "larger" の比較対象、あるいは "larger" を説明する内容が不足していることがわかります。その部分を "close to the horizon"（地平線と近い）とつなぐには、常識的に考えて「地平線と近いとき」となる (A) が正解です。

(B) は接続詞なしで「主語＋動詞」が続くことになるので不適切です。

(C) は "than" の後ろに比較対象の名詞が欠けているので不適切です。

(D) は "which" の前に先行詞がないので不適切です。

5. ・正 解・ (D)

Newspaper historians feel that Joseph Pulitzer exercised *remarkable influence* on American journalism during his lifetime.

2. 各問題の分析と解説

・訳 例・
新聞史の研究者たちは、ジョセフ・ピューリッツァーはその生涯において、アメリカのジャーナリズムに注目すべき影響を及ぼしたと思っている。

・解 説・
　選択肢にはすべて "influence" という単語が入っており、空欄の後ろには "on" が続いていますので、この問題は "influence" と "on" のつながりをたずねているのだとわかります。そこでまず、"influence" と "on" がつながらない (A), (C) ははずれます。"influence" は動詞 "exercised" の目的語にもなっているので、目的語にならない (B) もはずれます。よって、(D) が正解となります。

6. **・正 解・** **(C)**
As Secretary of Housing and Urban Development, Carla A. Hills worked *to help America's housing industry recover* from the economic slump of the 1970's.

・訳 例・
カーラ・A・ヒルズは住宅・都市開発長官として、アメリカの住宅産業が 1970 年代の不況から回復するのを助けるために働いた。

・解 説・
　まず文の骨格である主語と動詞の関係に注目します。"Carla A. Hills" が主語で、"worked" が動詞です。すでに主語と動詞があるので、主語と動詞を含む (A), (B) は除外します。空欄の後ろには "from" があり、これにつながるのは "recover from" となる (C) です。

7. **・正 解・** **(A)**
The safflower plant is grown chiefly for the oil *obtained* from its seeds.

・訳　例・
ベニバナは、おもに種から得られる油のために栽培される。

・解　説・
　空欄の前までで文法的には文は完成しています。「ベニバナはおもに油を得るために栽培される」という意味になります。空欄では "the oil" を "from its seeds" とつなぐわけですが、ここでは "oil" を後ろから説明することになるので、形容詞の働きをする過去分詞 "obtained" が正しい選択です。
　(B) は接続詞なしに節がつながり、かつ "oil" が主語になるので不適切です。(C) も "oil" が主語になり、さらに何も意味しない "it" が登場するので不適切です。

8. ・正　解・ (**B**)
It is in late July and early August that the Earth rotates at its greatest speed.

・訳　例・
地球が最大の速度で自転するのは、7月下旬から8月初旬にかけてだ。

・解　説・
　時を示す "late July and early August" の前に空欄があるので、まず前置詞 "in" を補うことを考えますが、その後ろには "the Earth rotates at its greatest speed" という完成された文が "that" の後ろに続くので、この部分は従属節であるとわかります。したがって、文頭には主節の主語と動詞が必要であることになります。ここで (B) を選ぶと、後方にある "that" を伴って "it is ... that ～" の強調構文になります。

9. ・正　解・ (**D**)
In 1984 Kathryn Sullivan became the first female astronaut *to walk* in space.

2. 各問題の分析と解説

・訳 例・

1984年に、キャサリン・サリヴァンは女性宇宙飛行士として初めて宇宙を歩いた。

・解 説・

この問題でも、まず文の骨格である主語と動詞の関係に注目します。空欄の前に、すでに主語と動詞がそろっているので、空欄部分に動詞が入る(A)、(B), (C)を入れることはできません。よって(D)が正解となります。

10. ・正 解・ (B)

Frogs and toads must have water to lay and fertilize their eggs, whereas their offspring, tadpoles, need water for development and growth.

・訳 例・

カエルとガマは、卵を産み受精させるために水がなくてはならず、一方、その子のオタマジャクシは、発育と成長のために水を必要とする。

・解 説・

空欄の後ろに "must have" と述語動詞があるので、空欄には主語が入るとわかります。また、文の後半に接続詞 "whereas" があるので、接続詞を入れる必要がないこともわかります。よって、主語のみが含まれる(B)が適切です。(A), (C), (D)はいずれも接続詞で始まるので不適切です。

11. ・正 解・ (B)

In 1964 the United States Bureau of the Census estimated that California had become the most populous state, *surpassing* New York.

・訳 例・

1964年に合衆国国勢調査局は、カリフォルニアがニューヨークを抜いて、もっと

も人口の多い州になったと推定した。

・解説・

　文の骨格に注目して問題文を読むと、空欄の前ですでに文が完成しており、空欄以降は修飾語句の働きをしていることがわかります。そこで選択肢をみると、(A), (C), (D) は動詞になってしまうので不適切です。分詞の (B) "surpassing" が残ります。

12.　・正解・　(C)

Were it not for its addictive properties, morphine would be used more frequently to relieve pain.

・訳例・

もしも常習性の特性がなかったら、モルヒネは苦痛を和らげるためにもっと頻繁に使われているだろう。

・解説・

　この文の後半の "morphine would be used more frequently to relieve pain" には接続詞が先行していないので、ここが主節であるとわかります。したがって、空欄を伴う前半部分は副詞的な働きの節か句が入ると推測されます。また、主節に "would" が含まれていることから仮定法であることも考えられます。よって、仮定法の決まり文句である (C) "Were it not for" を選ぶことになります。
　(A) は動詞がないので不適切です。
　(B) は接続詞がないので不適切です。
　(D) は疑問詞ですので不適切です。

2. 各問題の分析と解説

13. ・正 解・ (D)

The American philosopher and educator John Dewey rejected *authoritarian teaching methods*.

・訳 例・

アメリカの哲学者で教育者のジョン・デューイは、権威主義的な教授法を拒否した。

・解 説・

　文頭に主語があり、他動詞 "rejected" が続きますから、空欄にはその目的語となる名詞が入ります。"reject" は to 不定詞や that 節を目的語としないので、(D) が適切です。
　(A) は、"reject" が to 不定詞を目的語にもたない動詞なので不適切です。
　(B) は "that" が不要です。
　(C) は "for" が不要です。

14. ・正 解・ (B)

That Canada is today a member of the Commonwealth can be partially credited to the cooperation of Canadian politicians Robert Baldwin and Louis H. Lafontaine, who fought for responsible government during the 1840's.

・訳 例・

カナダが今日、英連邦の一員であるのは、部分的には、1840 年代に責任政府のために戦ったカナダの政治家、ロバート・ボールドウィンとルイ・H・ラフォンテーヌの協力のおかげと言える。

・解 説・

　文の骨格に注目すると、空欄が主語となり、"can be partially credited" が

動詞となることがわかります。よって、主語の要素にならない (C), (D) は不適切です。"～ be credited to …" は「～は…のおかげだと考えられている」という意味で、空欄には何らかの功績にあたる内容が来ます。よって、「カナダが今日、英連邦の一員であること」という意味の (B) が適切です。

15.　・正　解・　(C)

There are many food preservation methods for inhibiting the growth of bacteria.

・訳　例・

バクテリアの成長を抑制する多くの食品保存法がある。

・解　説・

　空欄以降の部分に動詞がありませんから、動詞を含む選択肢である (C) が適切です。"many" の前に定冠詞を置くことはできませんので、(A) は不適切です。(B), (D) は動詞が欠如しており、文 (節) として成り立ちません。

■ Written Expression

16.　・正　解・　C

her → she

One of the United States' most renowned painters, Grandma Moses was in her seventies when *she* began to paint seriously.

・訳　例・

アメリカのもっとも高名な画家の一人、グランマ・モーゼスが絵を真剣に描き始めたのは、70 歳台になってからだった。

2. 各問題の分析と解説

・解説・

"when" の後には「主語＋動詞」が続く必要があるので、"her" ではなく主格の "she" が適切です。

17. ・正解・ A

advantageously → advantage

The novelty, relatively high speed, and *advantage* of year-round service made early passenger trains a popular form of transportation.

・訳例・

目新しさ、比較的高速であること、通年運行という利点が、初期の旅客列車を大衆的な輸送手段にした。

・解説・

A は "The novelty, relatively high speed" に続くので、並列の原則から、前述の語と同じ品詞が続くと考えられます。したがって、副詞の "advantageously" ではなく、名詞の "advantage" に変える必要があります。

18. ・正解・ B

are → being

Statistical evidence indicates that the century-old trend in the United States of children *being* taller than their parents seems to have leveled off.

・訳例・

子供が親より背が高いという、アメリカでの1世紀に及ぶ傾向が横ばいになったらしいことを、統計的証拠が示している。

・解説・

この文の動詞に注目すると、A, B, C があげられます。このなかで、B の主語は "the century-old trend" ということになり、人称が合わないため不適切だとわかります。このとき、B が be 動詞のままだと、C "seems" の主語がなくなるため、動詞以外が適切です。また、B の前の "children" は前置詞 "of" に続いているので、名詞句をつくるために動名詞の "being" に変えます。

19. ・正解・ D

transport → transported

Many artists use watercolors on outdoor sketching trips because the equipment is light, compact, and easily *transported*.

・訳例・

水彩の道具は軽く、コンパクトで運びやすいので、多くの芸術家は野外スケッチの旅行では水彩絵の具を使う。

・解説・

"because the equipment is light, compact, and easily transport" をみると、主語 "equipment" の後ろに補語として形容詞が "light, compact" と並列に続いているので、最後の "transport" は形容詞の働きをもつ過去分詞 transported とすべきです。

20. ・正解・ B

sport → sports

Basketball is one of the leading *sports* in the United States, attracting well over 30 million spectators every year.

2. 各問題の分析と解説

・訳 例・
バスケットボールは、アメリカでは毎年ゆうに3,000万人以上の観客を動員する、主要スポーツの1つだ。

・解 説・
"one of the" に続くのはかならず複数名詞ですから、複数形の "sports" となります。

21. ・正 解・ C
combine → combination

The power of Gwendolyn Brooks' poetry often results from her innovative style, her elegant lyricism, and her *combination* of formal language with informal speech.

・訳 例・
グウェンドリン・ブルックスの詩の力は、しばしば、斬新な文体、優雅な詩情、そして、きちんとした言葉とくだけた話し言葉の組合せから生まれる。

・解 説・
Cには動詞 "result from" の目的語として "her innovative style, her elegant lyricism" と名詞句が並列に続きます。品詞を合わせるため、"combine" は "combination" とするのが適切です。

22. ・正 解・ A
Because incomplete → Because of incomplete

Because of incomplete records, the number of enlistments in the Confederate army has long been in dispute.

「本物のテスト」問題にチャレンジ

・訳　例・
不完全な記録のため、南部連合軍への入隊者数は長く論争になってきた。

・解　説・
"Because" は通常その後ろに節（主語＋動詞…）を伴いますが、ここでは "incomplete records"（修飾語＋名詞）の句が続くので、"because of" が適切です。

23.　・正　解・　D
is blown → blowing
Musical instruments are divided into various types, depending on whether the vibration that produces their sound is made by striking, strumming, scraping, or *blowing*.

・訳　例・
楽器は、音を生み出す振動が作られるのが叩いてなのか、かき鳴らしてなのか、こすってなのか、吹いてなのか、によってさまざまな種類に分類される。

・解　説・
Dの前は前置詞 "by" に続く部分 "striking, strumming, scraping" と動名詞が並列に続いています。したがって、同じ形の "blowing" とすべきです。

24.　・正　解・　D
while → during
The Federal Theater Project, the first federally financed theater project in the United States, was established to benefit theater personnel *during* the Depression of the 1930's.

2. 各問題の分析と解説

・訳 例・
アメリカ初の連邦出資による演劇事業、フェデラル・シアター・プロジェクト（連邦劇場計画）は、1930年代の大恐慌期に演劇関係者を助けるために設立された。

・解 説・
"while" は接続詞ですから、後には節（主語＋動詞…）が続きます。しかし、ここでは "the Depression of the 1930's" の句が続くので、この場合、"while" ではなく "during" が適切です。

25. ・正 解・ D
much → many

Estuaries are highly sensitive and ecologically important habitats, providing breeding and feeding grounds for *many* life-forms.

・訳 例・
河口はきわめて繊細で生態学的に重要な生息環境であり、多くの生物に繁殖と食餌の場所を提供する。

・解 説・
"life-forms" という可算名詞を修飾するので、"much" ではなく "many" となります。

26. ・正 解・ A
early the → early as the

As *early as the* seventeenth century various North American colonies enacted construction regulations for buildings to help prevent the spread of fires.

・訳 例・

すでに 17 世紀には、さまざまな北米植民地が延焼を防ぐ一助として、建物の建築規制を法制化した。

・解 説・

　文の主語は "various North American colonies" で、動詞は "enacted" であり、「さまざまな北米植民地が建造物の建築規制を立法化した」という意味の文になります。文頭にある "As early …" は時を示す副詞句ということになります。"As … as" でひとまとまりの表現なので、"as early as" が適切です。

27. ・正 解・ C

warm → warmth

When the thermometer drops below 68 degrees Fahrenheit, the body conserves *warmth* by restricting blood flowing to the skin.

・訳 例・

温度計が華氏 68 度を下回ると、からだは皮膚への血液の流れを制限して温かさを保つ。

・解 説・

　"conserves" という動詞は他動詞ですので目的語が続きます。よって、形容詞の "warm" ではなく、名詞の "warmth" が適切です。

28. ・正 解・ A

for great → for his great

Although best known for *his great novel The Grapes of Wrath*, John Steinbeck also published essays, plays, stories, memoirs, and newspaper articles.

2. 各問題の分析と解説

・訳 例・

偉大な小説『怒りの葡萄』でもっともよく知られているが、ジョン・スタインベックはまた、エッセイ、戯曲、回想録、短篇、新聞記事も発表した。

・解 説・

"novel" は可算名詞ですので、単数形の場合、冠詞あるいは所有格の代名詞が必要です。具体的な名前がすぐ後に出てくるので、"his novel" とするのが適切です。

29. ・正 解・ B

too deep → so deep

Few jurists have left *so deep* an imprint on the law and government of their country as John Marshall.

・訳 例・

自国の法と政治に、ジョン・マーシャルほど深い刻印を残した法律家はほとんどいない。

・解 説・

文末に "as John Marshall" とあり、比較の文であることがわかります。呼応する形は "as 〜 as…" か、あるいは否定文なら "so 〜 as…" も可能です。よって、文中で用いられている形容詞の "deep" に伴うのは "too" ではなく、"so" が適切です。few にはやや否定的な意味があるので、"not so 〜 as…"(…ほど〜ではない)の表現を使っていることがわかります。

30. ・正 解・ C

the eyes → eyes

A cicada is a big insect with a wide head, large protruding *eyes*, and two pairs of wings.

・訳 例・
セミは、幅広の頭と大きな突き出た目と2対の羽をもつ大きな昆虫だ。

・解 説・
"the eyes" の前に "large protruding" という修飾語句がありますが、通常、"the" という定冠詞は修飾語の前に置かれます。また、ここでは定冠詞をつける必要がありませんから、"large protruding eyes" が正しい表現です。

31. ・正 解・ D
and half → and a half
The contralto is the lowest female singing voice, with a range of about two *and a half* octaves upward from about E in the bass clef.

・訳 例・
コントラルトは女声のもっとも低い声域で、バス記号のE音の辺りから2オクターブ半上までの音域をもつ。

・解 説・
「〜と半分(2分の1)」という表現では、"... and a half" というように、"a" を入れなければなりません。

32. ・正 解・ B
attached the → attached to the
Sponges live in colonies *attached to the* ocean floor or other surfaces.

2. 各問題の分析と解説

・訳 例・

海綿は、海洋底やその他の表面に付着したコロニーに住む。

・解 説・

"attach" が「〜に付着する」という自動詞の意味で使われる際は "attach to …" と前置詞を伴いますので、"attached the" ではなく、"attached to the" となります。

33. ・正 解・ C

value → valuable

The vivid markings of the leopard's fur make it *valuable* as a zoo attraction.

・訳 例・

ヒョウは、毛皮に鮮やかな斑点があるので、動物園の呼び物として貴重になっている。

・解 説・

"make it" の後には「どんな」にあたる補語が必要です。"value" という名詞ではなく、「価値のある」という意味の形容詞、"valuable" にします。

34. ・正 解・ C

advice → advisor（または adviser）

Carl Sagan, the renowned astronomer, served as an *advisor* to NASA and to the National Academy of Sciences.

・訳 例・

高名な天文学者のカール・セイガンは、NASA と米国科学アカデミーの顧問を務めた。

・解 説・

"Carl Sagan, the renowned astronomer" という部分からわかるように、人ですので、"an advisor" とすべきです。ちなみに、"advice" は不可算名詞ですので、"a piece of advice" とすることはできても、"an advice" は正しくありません。

35. ・正 解・ A

The most → Most

Most mammals have two sets of teeth during their lifetime, consisting of the temporary teeth and the permanent ones.

・訳 例・

たいていの哺乳動物は一生の間に、乳歯と永久歯からなる2組の歯をもつ。

・解 説・

"Most＋名詞"で「ほとんどの～」という意味になります。"The most"と定冠詞を伴うのは形容詞の最上級（the most difficult など）であり、名詞の前の "most" とは異なります。

36. ・正 解・ A

Some of → Some

Some playwrights provide extensive instructions in the text of their plays on how the plays should be interpreted by actors and directors.

・訳 例・

脚本家のなかには、その戯曲が俳優や監督にどのように解釈されるべきかについて、戯曲のテキストのなかに広範囲にわたる指示を書いて与える人もいる。

・解 説・

"some of" に続くのは "the + 複数名詞" ですから、"some of the playwrights" というように定冠詞を伴うべきです。ここでは定冠詞がありませんから、"some of" ではなく、"some" となります。

37. ・正 解・ D

twenty → twentieth

The political and economic life of the state of Rhode Island was dominated by the owners of textile mills well into the *twentieth* century.

・訳 例・

ロードアイランド州の政治・経済界は、20世紀に入ってからもかなりの間、織物工場主に牛耳られていた。

・解 説・

世紀に関する表現では、"the twentieth century" というように、定冠詞を伴った序数 (first, second, fifth など) を使います。

38. ・正 解・ A

its → their

Deriving *their* energy from warm tropical ocean water, hurricanes weaken after prolonged contact with colder northern ocean waters.

・訳 例・

熱帯の温かい海水からエネルギーを得るハリケーンは、より冷たい北の海水と長期間接触した後で弱まる。

・解 説・

"hurricanes" という複数形の名詞を受けていますので、代名詞の所有格は "its" ではなく、"their" が適当です。

39. ・正 解・ C

area → areas

Lichens grow in a variety of places, ranging from dry *areas* to moist rainforests, to freshwater lakes, and even to bodies of salt water.

・訳 例・

地衣類は、乾燥地域から湿った雨林、淡水湖、さらには塩水域まで、さまざまな場所に生える。

・解 説・

"area" は可算名詞ですので、冠詞（a, an, the）や、限定詞を伴わない場合は複数形になります。よって、ここでは "areas" とするべきです。

40. ・正 解・ A

a → the

After launching the Hubble Space Telescope into orbit, *the* makers discovered that its original main mirror had a major flaw that subsequently had to be repaired.

・訳 例・

ハッブル宇宙望遠鏡を軌道に打ち上げた後、製造者は新機軸の主鏡に、のちに修理しなければならなくなった大きな欠陥があることに気づいた。

2. 各問題の分析と解説

・解 説・

"makers" という複数形の可算名詞に "a" をつけるのは誤りです。「ハッブル望遠鏡を作った人たち」というのは特定の人であることが分かるので、無冠詞ではなく定冠詞の "the" をつけます。

4 Reading Comprehension

Questions 1–10

・本文訳例・

　　魚は種類によって、異なった泳ぎ方をする。1920年代以来、これら多様な運動の方法を分類し、計測するために注意深く努力が行われてきた。魚の運動を記述する用語体系と数理計算はかなり複雑になったが、基本的な分類方式は、最初に描かれた枠組みと、いまも大部分は同じである。

　　もっとも単純な泳ぎのタイプは、「ウナギ型」である（専門用語では "anguilliform"．一般的なウナギ Anguilla にちなむ）。その名の示すとおり、この泳ぎの動きは魚の全身のうねり、すなわち波状の運動を伴い、うねりの振幅は尾に近づくにつれて大きくなる。これらのうねりの動きが、からだの後方の水に対する推力を発生させ、それによってからだを前に進ませる。ウナギ型の泳ぎは効果的だが、うねりが抗力、すなわち水中での抵抗を増大させるので、特に効率的というわけではない。したがって、この泳ぎはおもに、すばやく動いたり効率的に動いたりしない海底魚に用いられる。ウナギだけでなく、ギンポもこの方法で泳ぐ。カレイもそうだが、カレイの場合は水平方向ではなく、上下垂直にうねる。さらに、コモリザメやオオセなど、ある種の動きの遅いサメもこの方法を使う。

　　ほとんどの回遊性の捕食魚は、「アジ型」の泳ぎをする（専門用語では "carangiform"．アジ、ムロアジ、コバンアジを含む Canrangidae 科にちなむ）。多少の違いこそあれ、これらの魚には、一般に、ある共通した特徴がある――飛行機の機首に似た頭をし、その上部は下向きに傾斜していることが多く、からだの後部はしだいに挟まって、先が二股の尾になる。からだが二股の尾とつながる部分は、幅が狭くなっている。アジは、そのほかのアジ型の泳ぎをする魚と同じく、加速しやすいつくりになっている。や

や固めのからだを左右に突き動かしながら、からだをあまりうねらせずに推進力を生むので、ウナギ型のうねりほど抵抗を受けない。二股状の尾は抗力を減少させる。尾とつながり狭くなっているからだの箇所は反動を最小化し、それによって、からだを安定させている。アジ型の魚は効率的に泳ぐが、獲物を捕らえるためにはそうでなければならないからである。

　もっとも効率の悪い泳ぎ手は、ハコフグ型で動く魚である（専門用語では"ostraciform"。ハコフグやイトマキフグを含む Ostraciidae 科にちなむ）。アジと同じように、推進力を生むために尾を使うが、じつに下手で不器用なやり方なので、スピードが目的でないことは明らかである。トラフグとハリセンボンがハコフグ型の泳ぎをする。スピードがないので、身を守るためには、防護器官や有毒物質の分泌に頼らなければならない。

1. ・正解・ （A）

・訳例・

第7行目にある単語 "suggests" に意味がもっとも近いのはどれか。

　　（A）暗に意味する
　　（B）要求する
　　（C）描写する
　　（D）比較する

・解説・

　類義語選択の問題です。"suggest" は動詞で「～だと示唆する、暗示する」という意味です。これに近い意味をもつのは "imply" です。

2. ・正解・ （C）

・訳例・

第10行目にある "it" が指すのはどれか。

　　（A）尾
　　（B）推力
　　（C）からだ
　　（D）水

2. 各問題の分析と解説

・解　説・

代名詞が指す対象を探す問題です。"it" の前後にあたる第 9～10 行目を読むと、"These undulating motions generate a backward thrust of the body against the water, thereby driving it forward."（これらのうねりの動きが、からだの後方の水に対する推力を発生させ、そうすることによって "it" を前に進ませる）とあります。一連の動きによって前に進むのは「からだ」だとわかるので、この "it" は "body" となります。

3. ・正 解・ (A)

・訳 例・

ウナギの泳ぎ方が非効率的な原因として、筆者はどれをあげているか。

(A) からだの動きによって生み出される抗力の増大
(B) 通常、海底の近くを泳ぐウナギの習性
(C) ウナギのからだの単純な構造
(D) ウナギの尾による後方への推力の弱さ

・解 説・

ウナギの泳ぎ方が非効率的な原因を本文から探します。第 10～12 行目に "Eel-form swimming is effective but not particularly efficient because the undulations increase the drag, or resistance in the water."（ウナギ型の泳ぎは効果的だが、うねりが抗力、すなわち水中での抵抗を増大させるので、特に効率的というわけではない）とあるので、抵抗の増大に言及している (A) が正解となります。

4. ・正 解・ (A)

・訳 例・

第 12 行目にある "employed" に意味がもっとも近いのはどれか。

(A) 使われる
(B) 占領される

(C) 開発される
(D) 提供される

・解 説・

類義語選択の問題です。"employed" は動詞 "employ"（〜を雇う、〜を使う）の受身形です。ここでは、「（この泳ぎはおもに海底魚に）用いられる」という意味なので、"used" が正解になります。

5. ・正 解・ (A)

・訳 例・

この文章から、"blennies"（第13行目）はどれだと推測できるか。

(A) 海底魚
(B) サメ
(C) 捕食魚
(D) ウナギの一種

・解 説・

同義語を探す問題です。"blennies" が何かを知っている必要はありません。第2パラグラフではウナギ型の泳ぎについて述べられています。第13〜14行目に "Not only eels but also blennies swim this way"（ウナギだけでなく、ギンポもこの方法で泳ぐ）とあり、第12〜13行目に、この泳ぎ方はおもに "bottom dwellers" に用いられると書かれています。よって、"blennies" は "bottom dwellers" のことだとわかります。

6. ・正 解・ (B)

・訳 例・

第25行目にある "minimizes" に意味がもっとも近いのはどれか。

(A) 防ぐ
(B) 減らす
(C) 決める

(D) 繰り返す

・解 説・

類義語選択の問題です。"minimizes" は動詞で「〜を最小限にする」という意味です。これに近いのは "reduces" です。選択肢の単語がやや難しいので、語彙力が必要です。

7. ・正 解・ (**B**)

・訳 例・

「アジ型」の泳ぎをする魚について、筆者は何を言っているか。
- (A) 通常、海底魚を捕食する。
- (B) 泳ぎ方のおかげで餌を効果的に捕らえることができる。
- (C) ウナギによく似た尾をもつ。
- (D) 非常に柔軟な骨格構造のために、効率的に泳ぐことができる。

・解 説・

"jack-form swimming" について筆者が言っている内容を本文から探します。第3パラグラフでは "jack-form swimming" の特徴について述べられています。第25〜26行目に "Jack-form fish are efficient swimmers, as they must be to catch their prey."（アジ型の魚は効率的に泳ぐが、獲物を捕らえるためにはそうでなければならないからである）とあるので、獲物の捕獲について述べている (B) が正解となります。

8. ・正 解・ (**C**)

・訳 例・

第30行目にある "objective" に意味がもっとも近いのはどれか。
- (A) 能力
- (B) 好み
- (C) 目的
- (D) 方法

・解説・
類義語選択の問題です。"objective" は名詞で「目標、目的」という意味です。これに近いのは "purpose" です。

9. ・正解・ (D)
・訳例・
次の魚のうち、もっとも有毒物質を出しそうなのはどれか。
(A) コモリザメ (第15行目)
(B) アジ (第17行目)
(C) コバンアジ (第17行目)
(D) トラフグ (第30行目)

・解説・
本文での言及箇所を探す問題です。問題文にある "emit a poisonous substance" とは「有毒物質を出す」という意味ですので、毒が必要な魚に言及している箇所を探します。第30～32行目に "Pufferfish and porcupine fish swim in trunkfish style. Lacking speed, they must depend on body armor or the secretion of toxic substances for protection."（トラフグとハリセンボンがハコフグ型の泳ぎをする。スピードがないので、身を守るためには、防護器官や有毒物質の分泌に頼らなければならない）とあるので、毒を出す魚は "pufferfish" だとわかります。

10. ・正解・ (A)
・訳例・
この文章は、どの主張を裏づけているか。
(A) 今日の科学者も、1920年代に使われたのと同様の魚の運動の分類法を使うだろう。
(B) 今日の科学者は、魚の運動の仕組みをまだ理解していない。
(C) 魚の運動の数理分析は、1920年代からほとんど変わらないままである。
(D) 魚の運動の分類は、1920年代に考案されてから単純化されてきた。

2. 各問題の分析と解説

・解 説・

本文から言えることを消去法も用いて選択肢から探します。

(A)：1920年代に使われた魚の運動の分類法は第1パラグラフから、今でも使われていることがわかります。よって、これが正解です。

(B)：本文では魚の運動についてウナギ型、アジ型、ハコフグ型について書かれていました。よって「今日の科学者は、魚の運動の仕組みをまだ理解していない」とは言えません。

(C)：第1パラグラフで、魚の運動を記述する数理計算は、1920年代から複雑化したことが述べられていますので、変わっていないとは言えません。

(D)：第1パラグラフで魚の運動の分類方式は昔から変わっていないと述べられていますが、簡単になったわけではありません。間違えやすいので注意しましょう。

Questions 11–20

・本文訳例・

　過去数世紀の間、現在の合衆国南西部にあたる乾燥地域に住んでいたアメリカ先住民は、農業を確実に成功させるためにさまざまな方法に頼ってきた。まず何よりも、水が決定的な要因だった。ミネラルを流し出す雨が少なかったために土壌は肥沃だったが、少ない雨量そのものが問題となった。長期の干ばつが続けば農業は成り立たなかったし、その一方で、突然の洪水も同じくらい簡単に作物を台無しにしてしまいかねなかった。

　水の問題を解決するために、いくつかの手法が開発された。もっとも簡単なものは、作物を氾濫原に植え、毎年起きる洪水が苗に水を与えるのを待つことだった。より危険の少ない手法は、氾濫を防ぐために土手やダムを作ることだった。これらの土手は、植物をひどい洪水から守り、また、ひとたび洪水が起こっても、水がすぐに流れ出してしまうのを防いだ。ホピ族は、畑を碁盤目状に設計し、たくさんの小さな土手がそれぞれ、トウモロコシを1株か2株だけ取り囲むようにした。一方、洪水を防ぐために一連のダムを建設した部族もいた。3つめの手法は、川から水を引くために灌漑用の水路を掘ることだった。特に雨が少ない時期には、川から畑へ水を

壺に入れて運ぶこともあった。一部の作物は、断崖から流れ落ちる水で直接、水やりできる場所に植えられた。

　アメリカ先住民が食糧の安定した供給を確実にするために使ったもう1つの方法は、作物を2ヵ所以上の場所に植えることだった。もし、一方の作物がだめになっても、もう一方が生き残ることを期待していたのだ。とはいえ、土壌は肥沃で、簡単にやせてしまうことはなかったので、同じ区画の土地を毎年耕作できた。これに対し、合衆国東部の森林地帯では、2, 3年耕作したあとは、その区画の土地の使用をやめる必要があった。南西部では、1年に2つの作物が続けて植えられることもよくあった。

　南西部では、一部を非常時用に乾燥して貯蔵しておけるように、十分な量の食物を栽培するのが一般的なやり方だった。非常用の食料が乏しくなったときは、人々はその地域の野生植物を当てにした。これらもなくなったら、もっと涼しい環境のなかで生き残っているかもしれない野生の植物を集めるために山に入った。

11. ・正 解・ （A）

・訳 例・

この文章はおもに何を論じているか。

　　（A）アメリカ先住民の農業方法
　　（B）ホピ族が用いた灌漑手法
　　（C）アメリカ南西部の土質
　　（D）アメリカ先住民の非常用食料の貯蔵法

・解 説・

　本文の主題を答える問題です。第1パラグラフの最初の文から、アメリカ先住民の農業について書かれた文章であることがわかります。

　（B）ホピ族の灌漑手法は第2パラグラフのみ、（C）アメリカ南西部の話題は、何ヵ所か出てきますが、土質への言及は第1パラグラフのみです。（D）アメリカ先住民の非常用食料の貯蔵法は第4パラグラフでしか述べられていません。そのため、これらは主題とは言えません。（A）アメリカ先住民の農業方法については、具体的な方法が各パラグラフで述べられているので、この文章の主題だと言えます。

2. 各問題の分析と解説

12. ・正 解・ (D)

・訳 例・

第 7 行目にある "solve" に意味がもっとも近いのはどれか。

(A) 〜に向かって前進する
(B) 〜から守る
(C) 〜に入れておく
(D) 〜に対処する

・解 説・

類義語選択の問題です。"solve" は動詞で「〜を解決する」という意味です。これに近い意味の熟語は "deal with" です。

13. ・正 解・ (A)

・訳 例・

氾濫原に植物を植えることが理想的でなかった理由はどれか。

(A) 水の量が制御できなかった。
(B) 作物が野生動物に食べられるかもしれなかった。
(C) 氾濫原が離れすぎていて、頻繁に耕せなかった。
(D) トウモロコシは高台のほうがよく育つ。

・解 説・

氾濫原での農業が理想的ではない理由を本文から探します。第 2 パラグラフに "floodplains" の話が出てきます。第 7〜8 行目で、もっとも簡単な手法として氾濫原での農業について述べてあり、第 9 行目ではそれより危険性の少ない手法として、"to build dikes or dams to control the flooding"（洪水を防ぐために土手やダムを作ること）があげられています。よって、もっとも簡単な氾濫原での農業では、水の量をコントロールできなかったことがわかります。

14. ・正 解・ (C)

・訳 例・

第 12 行目の "enclosing" に意味がもっとも近いのはどれか。

(A) ～を守る
(B) ～を計る
(C) ～を囲む
(D) ～を広げる

・解 説・

類義語選択の問題です。"enclose" は「～を囲む」という意味です。これに近い意味は "surround" です。

15. ・正 解・ (C)

・訳 例・

第 16 行目にある "they" が指すのはどれか。

(A) 畑
(B) 壺
(C) 作物
(D) 壁

・解 説・

代名詞が指す対象を探す問題です。第 15～16 行目に、"Some crops were planted where they could be watered directly by the runoff from cliff walls."（一部の作物は断崖から流れ落ちる水で直接、水やりできる場所に植えられた）とあります。"where" は関係副詞で、その前に場所を表す先行詞（in the place など）が省略されています。直接、水やりされる "they" は、したがって、"some crops" だとわかります。

2. 各問題の分析と解説

16. ・正 解・ (B)

・訳 例・

南西部の農民たちは、なぜ作物を同時に数ヵ所に植えたのか。

(A) 彼らは、場所を頻繁につぎつぎと移動した。
(B) 彼らは、作物のどれかが不作になるかもしれないと心配した。
(C) それぞれの畑の大きさがかなり限られていた。
(D) 彼らは、土地の使いすぎを避けたかった。

・解 説・

南西部の農民たちが作物を同時に数ヵ所に植えた理由を本文から探します。第17〜19行目に "Another strategy Native Americans used to ensure a continuous food supply was to plant their crops in more than one place, hoping that if one crop failed, another would survive." (アメリカ先住民が食糧の安定した供給を確実にするために使ったもう1つの方法は、作物を2ヵ所以上の場所に植えることだった。もし、一方の作物がだめになっても、もう一方が生き残ることを期待していたのだ) とあり、1ヵ所の作物がだめになっても食料を確保できるようにするためであったことがわかります。

17. ・正 解・ (D)

・訳 例・

第19行目にある "patch" に意味がもっとも近いのはどれか。

(A) 種類
(B) 平面
(C) 集団
(D) 一区画

・解 説・

類義語選択の問題です。"patch" は名詞で「布切れ、断片」という意味で ("patchwork" (パッチワーク) のパッチです)、ここでは "same patch of" で、「同じ区画の」という意味になります。これに意味が近いのは、"piece" です。

「本物のテスト」問題にチャレンジ

18. ・正 解・ (D)

・訳 例・

東部の森林地帯の農民たちは、なぜ定期的に畑の使用をやめたのか。

(A) 季節的な洪水が農業を不可能にした。
(B) 彼らは水不足にあった。
(C) 彼らは栽培期間を長くしたかった。
(D) 土の中のミネラル分が使い果たされた。

・解 説・

東部の森林地帯の先住民たちが定期的に畑の使用をやめた理由を本文から探します。第20行目に "whereas" という逆接の接続詞があります。つまり、この前の部分に書かれている理由の逆が、畑の使用をやめる理由になります。第19～20行目に "since the soil was rich and not easily exhausted, the same patch of ground could be cultivated year after year"（土壌は肥沃で、簡単にやせてしまうことはなかったので、同じ区画の土地を毎年耕作できた）とあります。東部の森林地帯では、土地の消耗が速かったことがわかります。

19. ・正 解・ (B)

・訳 例・

南西部の農民たちは、作物が不作だったとき何をしたか。

(A) 東部の森林地帯に植えつけをした。
(B) 野生の植物から食料を採取した。
(C) 山から去った。
(D) 来期のために畑を設計しなおした。

・解 説・

南西部の農民たちの、作物が不作だったときの行動を本文から探します。第25～26行目に "If these failed, they moved up into the mountains to gather the wild plants that might have survived in the cooler atmosphere."（これらもなくなったら、もっと涼しい環境のなかで生き残っているかもしれない野生

の植物を集めるために山に入った）とあるので、ここが根拠となります。

20. ・正 解・ (C)

・訳 例・

南西部の農民たちは、どれがあればもっとも恩恵を受け得ただろうか。

(A) より険しい断崖
(B) より多くの日照
(C) 定期的な降水
(D) より小さな土手

・解 説・

　南西部の農民たちがもっとも恩恵を受ける可能性の高かったことを本文から探します。ここでは問題文の "would have benefited" という仮定法過去完了に気をつけてください。「(もしあったとしたら) 恩恵を受けただろう」という意味です。第5～6行目に "Long periods of drought could have made agriculture impossible; on the other hand, a sudden flood could just as easily have destroyed a crop."（長期の干ばつが続けば農業は成り立たなかったし、その一方で、突然の洪水も同じくらい簡単に作物を台無しにしてしまいかねなかった）とあり、雨の量は少なすぎても、多すぎても農業には問題があったことがわかります。この文章では、アメリカ南西部の少ない降雨に対処する方法についても書かれていました。つまり、もし (C)「定期的な降水」があれば、このような対処法を考える必要もなく、その意味で農民たちは恩恵を受けたであろうと推測できます。

Questions 21–30

・本文訳例・

　1887年の州際通商法 (Interstate Commerce Act) は、アメリカ合衆国の歴史上、重要な転換点となった。それは、連邦政府が私企業を規制する

法律の制定にむけた最初の試みであり、最初の連邦規制機関である州際通商委員会の設立につながった。合衆国憲法の通商条項は、連邦政府に州際通商を規制する基本的権利を与えており、運輸業は明らかにこの条項の規制を受ける。このため、最初につくられた主要な規則が運輸業界に関するものだったことは、驚くにあたらない。

　この法律は、合衆国内の輸送業者、とりわけ、鉄道輸送業者による人と貨物の輸送を規制するためにつくられた。アメリカの鉄道業は、1870年代に非常に急速な勢いで発展していた。1870年代後期から1880年代初期には、国内のどの主要都市も需要を満たすために必要な数をはるかに超える鉄道をもっていた。たとえば、アトランタとセントルイス間のルートでは、競合する20路線が運行していた。シカゴ―ニューヨーク間の交易路線でも、それに近い数が運行していた。大々的な競争と価格戦争（ある鉄道は、一時期、シカゴ―ニューヨーク間の料金を1ドルに下げた）のために、数社が破産した。生き残った業者は、競争相手を打ち負かすためにさまざまな戦術に訴えて生き残ったのだった。そうした戦術のひとつは、ひとつの鉄道会社だけを使った送り主にリベート（支払いの一部を払い戻す）を与えることだった。もうひとつは、これはいくつかの鉄道路線では客足が遠のいたのだが、競合する数社の企業連合が、ある路線または地域で事実上の独占状態を形成することだった。

　このような悪習は、当時の大きな政治問題になり、中西部の数州は、連邦政府による活動がないなかで、鉄道への規制を試み始めた。しかし、1887年までには連邦政府は監督法をつくることに十分関心をもっており、グローバー・クリーブランド大統領が同年、州際通商法に署名して制定した。この法律は、2つまたはそれ以上の州で運行する鉄道だけに適用され、料金が「手頃で公正」であることを求めた。また、価格差別、リベート、企業連合の活動を禁止した。鉄道料金は公に開示されることが求められ、10日間の一般告知なしに変更することはできなかった。

21. ・正　解・　（D）

・訳　例・

この文章はおもに何を論じているか。
　（A）合衆国憲法が立法にどのように影響するか
　（B）鉄道会社間の競争

2. 各問題の分析と解説

(C) 鉄道の旅客業務の発展
(D) 州際通商法の当初の目的

・解 説・

この文章の主題は何かを読み取ります。この文章では、州際通商法（Interstate Commerce Act）が制定された目的や意義について、憲法や鉄道業の規制の話と絡めて述べられています。

（A）合衆国憲法が立法にどのように影響するかについては第1パラグラフのみに、(B) 鉄道会社同士の競争は第2パラグラフのみにあります。(C) 旅客サービスの発展についての記述は本文にはありません。よって、州際通商法の目的に言及している（D）が正解となります。

22. ・正解・ (C)

・訳 例・

19世紀における運輸業界の規制について、どれが推測できるか。
(A) 規制は企業に不人気だった。
(B) 輸送の問題の影響を受けた都市が、鉄道業界を規制し始めた。
(C) 1880年代以前には、運輸業界への政府の監督はなかった。
(D) 規制は、鉄道会社間の競争を増やすために計画された。

・解 説・

19世紀における運輸業への規制について本文から読み取ります。第1パラグラフでは、1887年に制定された州際通商法（Interstate Commerce Act）が私企業を規制するアメリカ初の試み（"the first attempt"）であったこと、そして当初の規制対象は運輸業界（"the transportation industry"）であったことが書かれています。よって、この法律以前には、運輸業界に対して行政の監督はなかったことがわかります。

「本物のテスト」問題にチャレンジ

23. ・正解・ (B)

・訳 例・

合衆国政府は、なぜ鉄道業を規制する権限をもつのか。
- (A) 州が連邦政府に鉄道業者の悪習を規制するよう頼んだ。
- (B) 連邦政府は合衆国憲法によってその権限を与えられていた。
- (C) 州際通商委員会が連邦政府に許可を与えた。
- (D) クリーブランド大統領が1887年に議会に対してこの権限の譲渡を求めた。

・解 説・

アメリカ政府に鉄道業を規制する権限がある理由を本文から探します。第4～6行目に "The commerce clause of the United States Constitution grants the federal government the basic right to regulate interstate trade, and transportation clearly is subject to this clause." (合衆国憲法の通商条項は、連邦政府に州際通商を規制する基本的権利を与えており、運輸業は明らかにこの条項の規制を受ける) とあり、規制権限の根拠は合衆国憲法にあることがわかります。

24. ・正解・ (D)

・訳 例・

1880年代初頭のアメリカ主要都市での運輸の状況をもっともよく描写しているのはどれか。
- (A) 鉄道業界は安定を獲得していた。
- (B) 鉄道とほかの輸送形態の間に大々的な競争があった。
- (C) 切符の値段が高かったため、多くの人々が鉄道を利用できないでいた。
- (D) 鉄道路線と運行業務が過剰になっていた。

・解 説・

1880年代初頭のアメリカ主要都市での運輸状況を本文から探します。第10～12行目に、"By the late 1870's and early 1880's, every significant city in the country had far more railroads than necessary to serve its needs." (1870年代後期から 1880 年代初期には、国内のどの主要都市も需要を満たすために必要な数をはるかに超える鉄道をもっていた）とあり、鉄道が過剰化していた状況が読み取れます。

25. ・正 解・ (B)

・訳 例・

筆者が第 15 行目でシカゴとニューヨークに触れているのはどの理由か。

　　(A) 鉄道の便が少なかった都市の例をあげる。
　　(B) 非常に競争の激しかったルートの例をあげる。
　　(C) このルートは規制される必要がなかったことを指摘する。
　　(D) 政府による規制を実現するために都市がどのように協力したかを強調する。

・解 説・

筆者がシカゴとニューヨークに言及した理由を読み取ります。第 14～15 行目に、"Owing to the extensive competition and price wars (one railroad at one point reduced its Chicago-New York fare to one dollar) several lines went bankrupt."（大々的な競争と価格戦争（ある鉄道は、一時期、シカゴ―ニューヨーク間の料金を 1 ドルに下げた）のために、数社が破産した）とあり、鉄道の価格競争が激しかった例としてこの 2 つの都市があげられたのだとわかります。

26. ・正 解・ (A)

・訳 例・

第 16 行目にある "prevail" に意味がもっとも近いのはどれか。

　　(A) 成功する
　　(B) 防ぐ
　　(C) 探す
　　(D) 組織する

・解説・

類義語選択の問題です。"prevail" は動詞で「打ち勝つ、まさる」という意味です。選択肢のなかでこれに意味が近いのは、"succeed" です。

27. ・正解・ (D)

・訳例・

この文章によると、第17行目で触れられているリベートについて、どれが正しいか。

(A) 鉄道会社は利益が出るほど十分に料金を上げることができなかった。
(B) 送り主は鉄道会社にリベートを支払うことに反対した。
(C) リベートは、複数の鉄道を使う送り主には経済的な利益になった。
(D) ひとつの鉄道会社だけをひいきにすれば、送り主は低い料金ですませることができた。

・解説・

"rebates"(払い戻し)についての情報を本文から読み取ります。第17～18行目に、"One such tactic was to give rebates (return a portion of payments) to shippers that used the services of one railroad exclusively." (そうした戦術のひとつは、ひとつの鉄道会社だけを使った送り主にリベート(支払いの一部を払い戻す)を与えることだった)と書かれています。

28. ・正解・ (B)

・訳例・

この文章によると、どれが鉄道会社によって競争を減らすために使われた手法だったか。

(A) もっと鉄道路線と駅を建設すること
(B) ある地域で運行するさまざまな会社を連合させること
(C) 短期間、値段を上げること
(D) 政府の規制を無視すること

2. 各問題の分析と解説

・解 説・

鉄道会社が競争を減らすために使った手法を本文から探します。第18～20行目に、"Another, which made some of the railway lines highly unpopular, was the pooling of several competing companies to form a virtual monopoly over a certain route or area."（もうひとつは、これはいくつかの鉄道路線では客足が遠のいたのだが、競合する数社の企業連合が、ある路線または地域で事実上の独占状態を形成することだった）とあり、競争を減らすための手法は、会社同士で連合することだったと読み取れます。

29. ・正 解・ (C)

・訳 例・

第22行目にある語句 "in the absence of" に意味がもっとも近いのはどれか。

- (A) ～の要求のため
- (B) ～の増加により
- (C) ～の欠如を考慮に入れると
- (D) ～する能力があるので

・解 説・

類義表現の問題です。"in the absence of" はイディオムで「～が(い)ないので、～が(い)ないときには」という意味です。選択肢のなかでこれに近い意味なのは "given the lack of"（～の欠如を考慮に入れると）です。

30. ・正 解・ (C)

・訳 例・

次のうち、この文章のなかで州際通商法の規定として述べられていないのはどれか。

- (A) 対象に含まれるためには、鉄道会社は、複数の州で運行していなければならなかった。
- (B) 価格は公正でなければならなかった。

(C) 料金は連邦政府によって設定されることになっていた。
(D) 会社は独占状態を形成することを許されなかった。

・解 説・

　この文章のなかで州際通商法の規定として触れられていないものを探します。第25～29行目に規定の内容が書かれています。(A) 規定対象となるのは2つ以上の州で運行している鉄道会社であること（第25～26行目）、(B) 価格は公正でなくてはならないこと（第26行目）、(D) 独占化は許されなかったこと（第27行目）が、それぞれ本文から読み取れます。一方、料金については、「鉄道料金は公に開示されることが求められていた」とあります。(C)「料金は連邦政府によって設定されることになっていた」は本文にはありません。

Questions 31-40

・本文訳例・

　メディアとしての映画は、きわめて多くの決定にもとづいている。各ショットは、カメラの配置、照明、焦点、フレーミングなどの要素についての何十もの選択の結果である。スクリーン上に映されるものは、ほかの映されないものを犠牲にして現れるというだけでなく、それらの現れ方も、ほかのすべてを（少なくとも一時的に）排除する、あるひとつの視点の選択によるものである。
　古典期のハリウッド（およそ1920年代から1940年代までの時期）は、まさにこれらの選択を隠す方法としての形式的な枠組みを精密にしていった。そうした選択を隠すことは、もっとも基本的な方法、つまり、あらゆる映画的要素を映画の物語のストーリーに合わせて体系的に配置することによって可能であった。こうして、照明は控えめにとどまり、カメラのアングルはおもに目の高さに、フレーミングは場面上の中心的なできごとに焦点をあてた。同様にして、カットは動作や対話において理屈に合った場面で行われた。たしかに、この戦術に完全には忠実ではないショットや場面、さらには映画さえあった。しかし、この方法が支配的になったことで、

2. 各問題の分析と解説

スタイルそのものをつねに関心の中心においていた古典期の少数の映画製作者たちは商業的に失敗することが確実になった。

　ハリウッド映画がスタイルをストーリーよりも下におくことによって、観客は暗黙の約束事が存在すると想定するようになった。映画のどの瞬間においても、観客はスクリーン上で起きていることを見渡せるもっとも条件のよい場所が与えられているのだと。重要なものは何もかも見せられるだけでなく、最良のアングルから見せられる。この約束が破られるとしたら、それはごくまれな場合だけ、とりわけ探偵物においてだった。そこでは、観客はいつもの全知の権利をストーリーのために譲り渡した。しかし、これらの制約もまたストーリーの必要性によって決定されていたので、気づかれないままだった。そのため、*The Maltese Falcon*（『マルタの鷹』）における殺人者を隠す意図的に窮屈なフレーミングも、形式的な枠組みからの過激な逸脱として観衆に衝撃を与えることはなかった。

　スタイルがストーリーに従属することは、あたかも当然のように思えるが、実は歴史の巡り合せによって決まったことだった。映画の起源は、大衆芸術の主流が小説と演劇だった19世紀後期にあった。もしも映画がもっと早い時期に現れていたら、エッセイか抒情詩の形をとっていたかもしれない。しかし、そうはならずに、映画は写実小説の基本的な戦術と目標を取り入れたのだ。

31.　・正解・　(A)

・訳例・

この文章のなかで、どれが映画を作るときになされる必要がある決定としてあげられていないか？

　(A) だれが主役を演じるべきか
　(B) カメラをどこに置くべきか
　(C) どれだけの照明を使うべきか
　(D) ある場面の焦点が何であるべきか

・解説・

本文での言及箇所を探す問題です。映画を作るときになされる決定の要素として第2行目に "camera placement, lighting, focus, and framing" があげられています。(B) カメラ位置、(C) 照明、(D) 焦点はここに含まれるので、

正解はここにない（A）主役です。

32. ・正 解・ (B)

・訳 例・

第3行目にある "at the expense of" に意味がもっとも近いのはどれか。
- (A) 〜に置き換えられて
- (B) 〜の代わりに
- (C) 〜にくわえて
- (D) 〜に関して

・解 説・

類義表現の問題です。"at the expense of" はイディオムで「〜を犠牲にして」という意味です。選択肢のなかでこれに近い意味をもつのは "instead of" です。

33. ・正 解・ (D)

・訳 例・

この文章によると、第2パラグラフで述べられている形式的な枠組みは何をするために発展したのか。
- (A) 演劇の製作をまねる。
- (B) 映画ファンの観客を混乱させるのを避ける。
- (C) 映画製作に伴う費用を削減する。
- (D) 映画を撮影するときになされる決定を隠す。

・解 説・

"formal paradigm"（形式的な枠組み）が何を目的に発展したのかを本文から読み取ります。第6〜7行目に "Classical Hollywood (the period from about the 1920's through the 1940's) developed a formal paradigm precisely as a means for concealing these choices."（古典期のハリウッド（およそ1920年代から1940年代までの時期）は、まさにこれらの選択を隠す手段として形

式的な枠組みを精密にしていった）とあり、(D) の「映画を撮影するときになされる決定を隠すため」が正解です。

34. ・正 解・ (C)

・訳 例・

第10行目にある "predominantly" に意味がもっとも近いのはどれか。

(A) 強く
(B) 綿密に
(C) おもに
(D) 相対的に

・解 説・

類義語選択の問題です。"predominantly" は副詞で「おもに、大部分は」という意味です。選択肢のなかでこれに意味が近いのは "mainly" です。正解するには、かなりの語彙力が必要です。

35. ・正 解・ (D)

・訳 例・

古典期に、ストーリーよりスタイルを重視した映画についてどれが推測できるか。

(A) 多くの観客によって見られた。
(B) 映画製作者たちに尊敬された。
(C) 高く評価された。
(D) 金銭的に不成功だった。

・解 説・

古典期の映画の状況についての情報を読み取ります。古典期の映画におけるスタイルはストーリーに合わせるというものでした。第13〜15行目に、"The dominance of this procedure, however, insured the commercial failure of those few classical-period filmmakers who consistently made style itself the center of attention."（しかし、この方法が支配的になったことで、スタイル

そのものをつねに関心の中心においていた古典期の少数の映画製作者たちは商業的に失敗することが確実になった）とあり、(D)「金銭的に不成功だった」が正解です。

36. ・正 解・ (A)

・訳 例・

第16行目にある "habitual" に意味がもっとも近いのはどれか。

(A) 慣習の
(B) 考え深い
(C) 頑固な
(D) 最終的な

・解 説・

類義語選択の問題です。"habitual" は形容詞で「習慣的な」という意味です。これに近い意味をもつのは "customary" です。

37. ・正 解・ (D)

・訳 例・

筆者は、第3パラグラフで The Maltese Falcon (『マルタの鷹』) をどんな映画の例としてあげているか。

(A) 商業的に大成功だった。
(B) スタイルを関心の中心に置いた。
(C) きわめて細心の注意を払うよう観客に求めた。
(D) いつもの期待を放棄するよう観客に求めた。

・解 説・

　The Maltese Falcon を筆者が何のために言及したのかを本文から読み取ります。第3パラグラフでは、ハリウッド映画ではストーリーがスタイルに優先すること、映画は観客にとって最良のカメラアングルで撮影されること、探偵物ではこの決まりが破られる場合もあることが述べられています。The

2. 各問題の分析と解説

Maltese Falcon については第 23～24 行目に "*The Maltese Falcon*'s deliberately tight framing that conceals the murderer…"（『マルタの鷹』で殺人者を隠す意図的に窮屈なフレーミング）とあり、*The Maltese Falcon* が殺人を扱った探偵物で、カメラアングルが通常と異なっている映画だとわかります。よって、観客はストーリーのために普段の全知の権利（"normal right to omniscience"）をもてなかったと言えます。

38. ・正解・ (B)

・訳 例・

第4パラグラフの要点は何か。

　　(A) もしも映画が 19 世紀後期に発展していたら、もっと歴史的なテーマを扱っていただろう。
　　(B) もしも映画がもっと早い時期に発展していたら、別の表現形式をとったかもしれなかった。
　　(C) 映画が最初に発展したとき、演劇は今日よりもっと人気があった。
　　(D) 映画が導入されて以後、読書はそれまでより人気のない活動になった。

・解 説・

　パラグラフの要点を読み取る問題です。第4パラグラフでは、スタイルとストーリーの関係がかならずしも決定的なものではないことを述べています。第 28～29 行目に "Had cinema appeared in an earlier era, it might have assumed the shape of the essay or lyric poem."（もしも映画がもっと早い時期に現れていたら、エッセイか抒情詩の形をとっていたかもしれない）とあるので、(B)「もしも映画がもっと早い時期に発展していたら、別の表現形式をとっていたかもしれない」が正解です。

39. ・正解・ (D)

・訳 例・

第 29 行目にある "it" はどれを指すか。

(A) 詩
(B) ストーリー
(C) エッセイ
(D) 映画

・解説・

代名詞が指す対象を探す問題です。第29行目に "it" は2つありますが、どちらも同じものを指します。第28〜29行目に、"Had cinema appeared in an earlier era, it might have assumed the shape of the essay or lyric poem."（もしも映画がもっと早い時期に現れていたら、エッセイか抒情詩の形をとっていたかもしれない）とあります。よって、この "it" は文の主語でもある "cinema" となります。

40. ・正解・ (A)

・訳例・

この文章によると、映画は19世紀の写実小説と、どの点で類似しているか。

(A) 目標
(B) 長さ
(C) 言葉
(D) 値段

・解説・

映画が19世紀の "realistic novel"（写実小説）と似ている点を本文から探します。第29〜30行目に "it adopted the basic tactic and goal of the realistic novel."（それ（映画）は写実小説の基本的な戦術と目標を取り入れたのだ）とあるので、映画は写実小説と "the basic tactic and goal"（基本的な戦術と目標）が似ているとわかります。

2. 各問題の分析と解説

Questions 41–50

・本文訳例・

　学術的な興味は別として、地球の地形と地質をこの惑星が大昔に存在していた姿に再現することは、現代の環境地質学の文脈でも価値があるだろう。もし、ある種類の鉱物やエネルギー資源が、特定の地質環境のなかで形成されたことがわかれば、地質学者はそのような資源をそれらに適した現代の地質環境のなかだけでなく、過去に類似の環境のなかで形成されていた岩石のなかにも探すことができる。

　ある種のエネルギー資源は動植物の遺骸から形成されてきた。したがって、特定のグループの有機物が出現し、繁栄した時期を知ることで、採掘できそうなエネルギー資源の推定量を見積もり、燃料の調査を適切な時代の岩石に集中させることができる。

　岩石に残された記録は、さまざまな動植物のグループがいつ出現したかを示す。最古の生物は、岩石に保存されうるような固い骨格や歯や殻、あるいはほかの固い部分をもたなかったので、ごくわずかの遺骸しか残さなかった。最初の多細胞酸素呼吸の生物は、おそらく約10億年前に、酸素が大気中に十分に安定してから進化した。約6億年前までには、殻をもつ海洋動物が広く分布した。

　固い部分（殻、骨、歯など）をもつ有機体の出現は、岩石に保存された動物の遺骸の数を大きく増加させた。その結果、その時期からの生物学的な進化はそれまでと比べずっとよく理解されている。5億年前には乾燥した陸上にまだ大型の動植物は見られなかった。約4億年前の岩石のなかに、背骨をもつ動物、魚類と何種類か陸生植物の最初の形跡が残されている。昆虫はおよそ3億年前に現れた。そのあとで、爬虫類と両生類が陸地に上がってきた。恐竜は約2億年前に現れ、最初の哺乳類もほぼ同じ頃に現れた。温血動物は、約1億5000年前の鳥類の進化によって空に進出し、1億年前までには、鳥類も哺乳類もしっかりと定着していた。

41. ・正解・ （D）

・訳例・

第1パラグラフの要点は何か。

　（A）地球の大昔の地形は現代の地形とかなり違っていた。

(B) 地球の地質は地球の地形と同じくらい多様だ。
　(C) 特定の種類の岩石はさまざまな条件下で形成される。
　(D) 地質学者は、太古の地球に関する研究の現代的応用法を見つけられる。

・解　説・

第1パラグラフの主題が何か、消去法もまじえて読み取ります。

　(A)：大昔と現代で "geography"（地形）に大きな違いがある、という記述はありません。

　(B)："geology"（地質）と "geography"（地形）が同じくらい多様という記述もありません。

　(C)：さまざまな条件下で形成される岩石についての記述もありません。

　(D)：第1パラグラフの最後に、地質学者たちは特定の環境で形成される鉱物やエネルギー資源を、現代の地質環境だけでなく、古代の地質環境で形成された岩石のなかにも探すことができる、とあるので、(D) が正解となります。

42.　・正　解・　(D)

・訳　例・

この文章によると、特定の有機体のグループが出現し、繁栄した時期を知ることは、なぜ役に立つのか。

　(A) その時期にどんな種類の岩石構成が一般的だったかを明らかにするため
　(B) 地球の推定年齢についてのさまざまな仮説を評価するため
　(C) それらの有機体が環境とどのように相互作用したかをよりよく理解するため
　(D) 有機体から形成されたエネルギー源を含む岩石を見つけるため

・解　説・

　特定の有機体のグループが出現し繁栄した時期を知ることが役に立つ理由を本文から探します。第8〜10行目に、"knowing the times at which particular groups of organisms appeared and flourished is helpful in assessing the probable amounts of these energy sources that are probably available and in concentrating the search for these fuels on rocks of appropriate ages"（特定のグループの有機物が出現し、繁栄した時期を知ることで、採掘できそうなエネルギー資源の推定量を見積もり、燃料の調査を適切な時代の岩石に集中させることができる）とあるので、（D）が正解です。

43.　・正解・　（B）

・訳　例・

この文章によると、ある種のエネルギー源について言えることはどれか。

(A) 何種類かの鉱物の採掘に使われる。
(B) 大昔の動植物の遺骸からできた。
(C) 過去においてよりも今のほうがより豊富だ。
(D) 環境に有害だ。

・解　説・

　エネルギー資源についての記述を本文から読み取ります。第7行目に、"Certain energy sources have been formed from plant or animal remains."（ある種のエネルギー資源は動植物の遺骸から形成されてきた）とあるので、（B）が正解です。

44.　・正解・　（C）

・訳　例・

第9行目の "assessing" にもっとも意味が近いのはどれか。

(A) 売ること
(B) 集めること
(C) 測定すること
(D) 形づくること

・解 説・

類義語選択の問題です。"assessing" のもとの形、動詞 "assess" は「～を査定する」という意味です。ここでは "assess the probable amounts" で、「推定量を見積もる」の意味になります。"amounts" を目的語にしたとき、選択肢のなかで近い意味をもつのは "determining"（測定する）です。

45. ・正 解・ (B)

・訳 例・

第3パラグラフによると、最初期の生物があまり保存されていない理由はどれか。

(A) 水中に存在した。
(B) 固い部分がなかった。
(C) 6億年前に発達した。
(D) 小さすぎた。

・解 説・

最古の生物が保存されなかった理由を本文から探します。第11～13行目に、"The earliest creatures left very few remains because they had no hard skeletons, teeth, shells, or other hard parts that could be preserved in rocks."（最古の生物は、固い骨格や歯や殻など、岩石に保存されうるような固い部分がなかったので、ごくわずかの遺骸しか残さなかった）とあるので、正解は (B) となります。

46. ・正 解・ (B)

・訳 例・

12行目にある単語 "they" はどれを指すか。

(A) グループ
(B) 生き物
(C) 遺骸
(D) 骨格

2. 各問題の分析と解説

> **・解 説・**

代名詞が指す対象を探す問題です。第 11～13 行目を読むと、"The earliest creatures left very few remains because they had no hard skeletons, teeth, shells, or other hard parts that could be preserved in rocks."（最古の生物は、固い骨格や歯や殻など、岩石に保存されうるような固い部分がなかったので、ごくわずかの遺骸しか残さなかった）とあります。よって、この "they" は、骨格などをもっていなかった、文の主語にあたる "The earliest creatures" のことだとわかります。

47. ・正 解・ **(A)**

> **・訳 例・**

この文章によると、大気中の酸素が初めて十分に安定したのはいつか。

　　(A) 10 億年以上前
　　(B) 1,000 万年前から 60 万年前の間
　　(C) 約 4 億年前
　　(D) 2 億年前から 1 億 5,000 万年前の間

> **・解 説・**

酸素が最初に大気中に安定した時代を本文から探します。第 13～15 行目に、"The first multicelled oxygen-breathing creatures probably developed about 1 billion years ago, after oxygen in the atmosphere was well established."（最初の多細胞酸素呼吸の生物は、酸素が大気中に十分に安定した後、おそらく約 10 億年前に進化した）とあります。よって、酸素が大気中で安定化したのは "1 billion years" より前ということになります。

48. ・正 解・ **(A)**

> **・訳 例・**

第 15 行目の "marine" にもっとも意味が近いのはどれか。

　　(A) 海

(B) 陸
(C) 複雑な
(D) 温血の

・解説・

類義語選択の問題です。"marine" はここでは形容詞で「海の、海に住む」という意味です。これに意味が近いのは "sea" です。

49. ・正解・ (D)

・訳例・

第4パラグラフの生物についての考察は、何に従って整理されているか。

(A) 生物の大きさ
(B) 生物の食料源
(C) 大昔の時代に存在したさまざまな生物の数
(D) 生物が最初に現れた時期

・解説・

第4パラグラフ、生物についての考察にどんな記述的特徴があるかを読み取る問題です。第4パラグラフを眺めると、年代の数字とその時期に現れた生物が並んでいることがわかります。よって、生物が現れた時期に言及している (D) が正解となります。

50. ・正解・ (A)

・訳例・

次の生物のうち、この文章の中で触れられていないのはどれか？

(A) ミミズ類
(B) 鳥類
(C) 魚類
(D) 恐竜

2. 各問題の分析と解説

・解 説・

　文中に出てこない生物を消去法で探します。(B) Birds は第25行目に、(C) Fish は第22行目に、(D) Dinosaurs は第23行目にそれぞれ出てきます。よって、(A) Worms が本文に出てこない生物です。第22行目に "Insects"（昆虫）が出てきますが、これは "Worms"（ミミズ類）とは区別されます。"Worms" は一般に細長く、足のない生物のことを指します。

アンサーシート（54％縮小）

ETS TOEFL ITP

*このアンサーシートは 2012 年 5 月から使用

アンサーシート（問題解答部分、95%縮小）

主要参考文献・参考資料

●主要参考文献

卯城祐司（編）2009.『英語リーディングの科学——「読めたつもり」の謎を解く』研究社.

大津由紀雄・直井一博・堀切一徳 2000.『TOEFL®テスト公式問題で学ぶ英文法』研究社.

門田修平・玉井健 2004.『決定版 英語シャドーイング』コスモピア.

京都大学英語学術語彙研究グループ・研究社 2009.『京大・学術語彙データベース 基本英単語1110』研究社.

小山俊輔・西堀わか子・田地野彰（編）2008.『平成20年度英語の授業実践——TOEFL®のための効果的英語学習法』奈良女子大学夏季英語実学講座2008年度報告書. 国立大学法人奈良女子大学国際交流センター.

島岡丘 1994.『中間言語の音声学——英語の「近似カナ表記システム」の確立と活用』小学館プロダクション.

白畑知彦・村野井仁・若林茂則・冨田祐一 2009.『英語教育用語辞典』大修館書店.

田地野彰 2011.『〈意味順〉英作文のすすめ』岩波書店（岩波ジュニア新書676）.

田地野彰 2011.『「意味順」英語学習法』ディスカヴァー・トゥエンティワン.

田地野彰・水光雅則 2005.「大学英語教育への提言——カリキュラム開発へのシステムアプローチ」, 竹蓋幸生・水光雅則（編）『これからの大学英語教育——CALLを活かした指導システムの構築』岩波書店.

田地野彰・ティム・スチュワート・デビッド・ダルスキー（編）2010.『Writing for Academic Purposes——英作文を卒業して英語論文を書く』ひつじ書房.

望月昭彦（編）・久保田章・磐崎弘貞・卯城祐司 2010.『改訂版　新学習指導要領にもとづく英語科教育法』大修館書店.

● 参考資料

Educational Testing Service 2005. *TOEFL® Internet-based Test Score Comparison Tables*.

Educational Testing Service 2008. *TOEFL® ITP Assessment Series Measuring English-language proficiency just got easier*.

Educational Testing Service 2010. *TOEFL® ITP Assessment Series Practice Tests: Volume 1*.

Educational Testing Service 2010. *TOEFL® ITP Assessment Series Test Administration Procedures*.

Educational Testing Service 2010. *TOEFL® ITP Assessment Series Examinee Handbook and Admission Form*.

国際教育交換協議会（CIEE）日本代表部 2009.『TOEFL® テスト ITP サマリーブック』.

国際教育交換協議会（CIEE）日本代表部 2008.『TOEFL® テストスコア利用実態調査報告書 2008 年度版』.

【編著者・監修者紹介】

田地野彰 [編著]

英国ランカスター大学大学院言語学・現代英語研究科博士課程修了。言語学博士 (Ph.D.)。現在、京都大学高等教育研究開発推進センター教授。専門は教育言語学。著書には、『これからの大学英語教育』（共著、岩波書店）、*Researching Language Teaching and Learning: An Integration of Practice and Theory*（共編著、Peter Lang, Oxford, U.K.)、『Writing for Academic Purposes —— 英作文を卒業して英語論文を書く』（共編著、ひつじ書房、大学英語教育学会賞（実践賞）受賞）、『〈意味順〉英作文のすすめ』（岩波書店）、『「意味順」英語学習法』（ディスカヴァー・トゥエンティワン）などがあり、海外の学術誌・専門誌にも論文を多数寄稿している。現在、京都大学ではテストテイキングコースにて TOEFL® を担当し、奈良女子大学では夏季 TOEFL® 対策講座の講座企画責任者を務めている。

金丸敏幸 [著]

京都大学大学院人間・環境学研究科修了（修士、博士（人間・環境学））。専門は言語学（認知言語学）、英語教育（EAP, 語彙、ライティング）、自然言語処理（文書分類、言語教育支援）。現在、京都大学大学院人間・環境学研究科外国語教育論講座助教。同大学にて、テスティング（TOEFL®）のクラスを担当。著書に、『Writing for Academic Purposes —— 英作文を卒業して英語論文を書く』（共著、ひつじ書房、大学英語教育学会賞（実践賞）受賞）、論文に「テンス・アスペクト・モダリティの翻訳における機械翻訳システムの誤りの調査」（共著、FIT 論文賞受賞）などがある。

Educational Testing Service [著]

At ETS, we advance quality and equity in education for people worldwide by creating assessments based on rigorous research. ETS serves individuals, educational institutions and government agencies by providing customized solutions for teacher certification, English language learning, and elementary, secondary and post-secondary education, as well as conducting education research, analysis and policy studies. Founded as a nonprofit in 1947, ETS develops, administers and scores more than 50 million tests annually — including the *TOEFL*® and *TOEIC*® tests, the *GRE*® tests and *The Praxis Series*™ assessments — in more than 180 countries, at over 9,000 locations worldwide. www.ets.org

編著者・監修者紹介

国際教育交換協議会（CIEE）日本代表部［監修］ciee
（英語名称：Council on International Educational Exchange，略称 CIEE）
　教育を通して国際交流を図り人類の相互理解を促進することを目的に、1947年アメリカで非営利法人として創設。日本では、国際交流の草分け的な存在として各種国際交流プログラムを運営。現在は大学生を対象としたプログラムを中心に、新時代のニーズにも応じ、海外ボランティアや就業体験（インターンシップ）プログラムも実施している。また、教員の海外研修や日本政府委託による国際交流に関する調査・研究・教員を対象とした派遣研修、受入プログラムへの協力など、活動は多岐にわたる。
　もう1つの事業として、1981年に米国最大のテスト機関であるETS（Educational Testing Service）の委託を受け、TOEFL®テスト日本事務局としてペーパー版TOEFL®テスト（Test of English as a Foreign Language）の日本での運営を開始。現在は、TOEFL®テスト全般に関する広報やセミナーの開催などの活動、TOEFL ITP®テストの運営・実施、ETSによって開発された英語教育指導・支援ツール等の提供・導入などを行っている。

TOEFL ITP® テスト
公式テスト問題&学習ガイド

2012年3月20日 初版発行

編著者・監修者
田地野彰 ［編著］
金丸敏幸 ［著］
Educational Testing Service (ETS) ［著］
国際教育交換協議会 (CIEE) 日本代表部 ［監修］

KENKYUSHA
〈検印省略〉

発行者
関戸雅男

発行所
株式会社　研究社
〒102-8152　東京都千代田区富士見 2-11-3
電話　営業 (03) 3288-7777 (代)　編集 (03) 3288-7711 (代)
振替　00150-9-26710
http://www.kenkyusha.co.jp/

印刷所
研究社印刷株式会社

装幀・CD デザイン
Malpu Design（大胡田友紀）

本文デザイン
mute beat

ISBN 978-4-327-43073-3　C1082　Printed in Japan